日本男児

長友佑都

ポプラ社

2011年　アジアカップ決勝　オーストラリア戦

2010年　FC東京対清水エスパルス戦

小学生の頃

東福岡高校時代

2011 年　インテル対カターニャ戦

2010年　チェゼーナ対ローマ戦

2010年　ワールドカップ　日本対パラグアイ

2011 年　UEFAチャンピオンズリーグ　インテル対バイエルン・ミュンヘン戦

はじめに

バスタブにつかり、温まった身体をひろげて、ストレッチを行う。

それは一日の終わりに必ず行う日課だ。

たったひとりの部屋で、身体を伸ばしながら、コンディションを確認する。小さな違和感も見逃さない。約10年かけて、鍛え続けた筋肉と会話を交わす。そんな時間を僕は大切にしている。

ストレッチをしながら、確認するのはフィジカル・コンディションだけじゃない。今日一日を振り返り、自分自身を見つめ直す時間でもある。

定めた目標と、現在の自分との距離を測り、足りないものを認識する。

自分の弱さを突きつめたり、強さを確認することもある。

良くやったと褒めることがあっても、満足したことは一度もない。そんなときは逆に「じゃあ、今度はこうしよう」と自分にはっぱをかける。新たな課題を与えるんだ。近い将来やってくるだろう壁に備えた準備をするために。

困難に直面しているときは、「こんなことで立ち止まっている場合じゃない」と打開策を考える。見落としているなにかを探す。必ず扉を開く鍵はあるから。

闇雲に努力するだけでは、成長はできない。

そのために重要なのは、冷静に現実を見ることだと思う。良いことからも悪いことからも逃げない。ストレッチをしながら、等身大の自分を知る。心の重要性を知った今は、どんなときも見直すべきは心だと改めて感じている。

勇気とチャレンジ精神に満ちた朝を迎えたいから「よし、明日も頑張るぞ」という気持ちで眠りにつくため、静かに自分と向き合う時間は欠かせない。

福岡でも、東京でも、南アフリカでも、チェゼーナでも、そして、ミラノでも毎日同じようにストレッチを続けてきた。そんな時間を過ごしてきたから、劇的に環境が変わっても自分を見失うことや迷うことなく、歩み続けられたんだと思う。

2005年に明治大学でサイドバックへ転向してから、ユニバーシアード代表、FC東京の特別指定選手、U-22代表、プロ入り、A代表、北京五輪、W杯、チェゼーナへの移籍。そしてインテル入りとわずか5年間でのキャリアアップ。僕のことをシンデレラボーイと呼ぶ人もいる。でも、僕自身は大きな驚きを感じることはない。すべては一歩一歩、階段を昇るように、ステップアップしてきた結果だと考えているから。

チャンスに向かってジャンプし、食らいつき、絶対に離さないための準備を毎日やっている。たとえすぐにはうまくいかなくても、努力した時間は無駄にはならないし、その努力が活きるときは必ず来る。努力は裏切らない。
大きな目標を設定し、そこへ向かうための道程を逆算し、今日やるべきことに100％で取り組む。今日頑張れなければ、明日はない。
だから、誰にも負けない努力をしてきた自信がある。

今回、本を作ってみないかという話を頂いたとき、最初はまだ早いだろうという気持ちだった。でも、自分のこれまでの日々を綴ることは、お世話になった人たち、そして家族への感謝の思いを形にする作業でもあると考えた。伝えたいことはたくさんある。だけど、一番言いたいのは、やっぱりありがとうという言葉だけなのかもしれない。

サッカーをプレーすること、日々のトレーニング、目標を達成することは、自分のためでもあるけれど、同時に自分以外の人たちのためでもあると考えている。僕が成長することが、恩返しになると思えるから、頑張れるんだ。
人を好きになる素晴らしさ、自分の中にある大切な人を思う気持ちが、力を生むことを僕は知っている。
自分の弱さから目をそらさず、闘えるのも感謝の気持ちがあるからだ。

僕は今、インテルでプレー出来る日々をとても幸せに感じている。でも、こういうときこそ、昔の苦労を忘れちゃいけない。そして周囲への感謝の思いを持ち続けなければならない。それが出来なければ、どん底に落ちてしまう。いい流れもあれば悪い流れもある。山あり谷あり、それが人生だから。どんなときも感謝の気持ちを忘れずにいたい。

この本を手にしてくれた人たちも懸命に努力する日々を過ごしていると思う。いいことばかりじゃないと下を向きそうなとき、わずかでも顔をあげられる、そんな熱い本を作りたいと思った。

高校を卒業するときは、プロになれないかもしれないと考えていた。でも、その夢を諦めることは出来なかった。ボールを追いながら、さまざまな出来事に立ち向かい、壁を前になにをすべきかを考え、挑戦し続けてきた。妥協することを嫌い、自分を追い込んできた。だから僕は学んだ。

努力すれば、必ず成長できる。

わずか25年だけれど、一心不乱に駆けてきた僕の歩みが、頑張っている人たち、頑張ろうとする人たちの後押しになれば、嬉しい。

諦めない気持ちを伝えたい。

『日本男児』目次

第1章　初志貫徹

サッカーやったらカッコええやん

「じいちゃん、もっとはよう、はしってぇなぁ‼」

僕は叫んだ。バイクのエンジン音に消されてしまわないよう、大きな声で。

まっすぐに伸びる道をぐんぐん走っていく。畑の中の一本道、空は高くて、広い。頬《ほお》に当たる風が気持ちいい。

「よっしゃ、わかった‼ しっかり摑《つか》まってなアカンでぇ」

ブルン‼ じいちゃんがエンジンを加速させる。ブン、ブン、ブンとエンジンの振動が身体に伝わってくる。

「気持ちえぇなぁ」

バイクのうしろの荷台に取りつけられた籠《かご》の中に座った僕は、どこまでも続く道を走るのが好きだった。普段、歩いては行けない場所へ、あっという間にたどり着く。知らない場所へ行ける。そのことに興奮を抱いていたのかもしれない。

まだ小学生になる前の話だ。

1986年9月12日、僕は愛媛県の三芳《みよし》で生まれた。当時は東予市三芳だったが、2004年に合併し、現在は西条市《さいじょう》三芳と呼ばれている地域だ。

地元高校の先輩後輩だった両親は20代前半で結婚。すぐに姉の麻歩《まほ》をもうけた。1年後に長男の僕が誕生。さらに2年後、次男宏次郎《こうじろう》と続く。

僕ら家族は、父親の実家で暮らしていた。

じいちゃんは大きな新聞配達所を営んでいて、地元でも有名な存在だったと思う。そして、大きな家に住んでいた。古い母屋だけでなく、新しい家もあり、ふたつは廊下でつながっている。とても広い庭もあった。じいちゃん、ばあちゃん、父さんの妹、両親、姉弟がそろっての食事は、にぎやかな時間で楽しかった。

「ユウトってどうかな?」

母さんのお姉さん、僕にとっての伯母さんが最初に提案してくれた。名前の画数などを調べて、〝佑都〟と決まったのだ。

「名前で〝都〟なんて、男の子では珍しいけど、珍しいからええんちゃうか」と母さんは決断したという。結構大雑把な決定だけど、僕はこの名前が好きだ。

そして宮崎県都城《みやこのじょう》市出身のじいちゃんは、俺の名前に〝都〟と入っていることをとても喜んでくれていた。

じいちゃんがときどき、配達用のバイクの荷台に取りつけた籠に僕を入れて、走ってくれた。当時の僕は身体が小さかったから、スポッと、籠におさまったんだ。

確かに身体は小さかったけど、僕は結構なガキ大将だった。普通ガキ大将って身体が大きかったりするけど、僕はその逆。小さいくせに、めっちゃ仕切ってる。今思い出すと、ちょっと恥ずかしいくらいだ。

なんでも自分の思いどおりにいくと思っているような、わがままなヤツだった。偉そうだし、いつも「俺に逆らったら許さへんぞ」という態度。というか、逆らうヤツなんて、誰もいなかった。

なんで、そんなに偉そうだったかというと、やっぱり、運動神経が抜群に良かったから。野を駆け回ったり、川で魚をとったり、うちの広い庭でサッカーをやったり、遊びといえば外遊び。僕はなにをやっても、誰にも負けなかった。そりゃ、いい気にもなるよな。僕は運動神経だけじゃなくて、太鼓をたたくのもうまかった。地元の祭りで幼いながら器用に太鼓をたたくから、じいちゃんもばあちゃんも喜んでくれた。

とにかく僕は無敵の子どもだった。

それは地元の東予市立三芳小学校（現・西条市立三芳小学校）へ入ってからも当然変わらなかった。

小学校に上がるころ、Ｊリーグが始まった。テレビではなかなか放送していなかったけど、たまに放送があると釘づけになって見ていた。大観衆の中でゴールを決めてダンスを踊るカズさん（三浦知良《みうらかずよし》）。「サッカーって、めっちゃカッコええやん」とドキドキしてたことを覚えている。もちろん、「俺もいつかあんな風になりたい」と思った。当時、男子小学生なら誰だってそう思っただろう。

しかし、僕がサッカーを始めたきっかけはＪリーグとはあまり関係ない。

「そうか、サッカーやったらええんや。サッカーやったらかっこええやん」

Ｊリーガーを見ながら、ひとつひらめいたことがあった。

「佑都、やっぱりアイツかわいいなぁ」

「そうかぁ？　さあ遊びに行こうや」

幼稚園のころ「かわいいなぁ」と誰もが憧れてしまう地元のアイドルみたいな女の子がいた。

友だちが騒いでいても、僕は素っ気ない態度をとっていた。そうやって無関心を装いながら、実はしっかりその子を見ていた。そして、「ええなぁ」と心の中で思っていた。そう、僕はすっかりその子に夢中だった。いわゆる初恋というヤツだ。

でもその子とはまともに話したことはなかった。男子には偉そうに出来ても、好きな子の前では大人しい……メッチャヤダサイけど、ある意味、典型的なガキ大将だったわけだ。

それでも、なんとかして振り向かせたい。「長友くんカッコええわ」と思わせたい。

ほかの男子とは違う特別な存在になりたい。そんな風に考えて、ボールを蹴ることにした。

不純と言えば不純だが、純粋と言えば純粋な気持ちでサッカーを始めた。

しかし、ここで思わぬことが起きてしまう。

「サッカー、おもろいわ」

気がついたら、サッカーの虜《とりこ》になっていた。女の子のことも、女の子にもてたいという気持ちも消えていた。そしてドリブルに明け暮れる毎日がはじまった。もともと運動神経がいいから、相手をかわすこともできる。そこからシュートを打って、ゴールを決める喜びにはまった。

「めっちゃ気持ちええわ」

チームメイトが「スゴイなぁ‼」と讃《たた》えてくれるのも嬉しかったから、本当にゴールの瞬間が大好きになった。当然、プレーヤーとしてもわがままで、ボールを持ったら離さない。ドリブルでしかけまくっていた。

ある試合で、自陣からドリブルをし続けて、ゴールを決めてしまったこともあった。敵チームの選手を全員抜いたわけじゃないけど、次々と相手をかわし、置き去りにして、ゴールへ向かっていった。そりゃ、最高な気分だったね。

小学3年生のときに、三芳にあるサッカースクールに入っても王様のような状態だった。アイツが現れるまでは……。

「佑都もうまいけど、長友兄弟は弟のほうが才能はあるな」

同じスクールでプレーしていた小学1年生だった弟の宏次郎は指導者から高い評価を受けていた。確かにドリブル一辺倒の僕と違い、宏次郎はトラップもうまいし、パスセンスもあった。だけど、やっぱりショックだった。誰かに負けたこともなかったし、ましてや弟に負けるなんて、悔しくてしょうがなかった。

年が近いから、宏次郎は生意気な部分もあったけど、家ではしっかり制圧してたし、兄弟ゲンカで泣かせてしまうこともたびたびあった。兄ちゃんのほうが強いし偉いという感じだった。だけど、サッカーでは違うと言われ、本当に悔しかった。

しかも、小学生時代はチームが変わってもずっと「弟のほうが上」と言われていたから。悔しさから解放されず、「絶対、負けたない‼」と必死だった。

宏次郎は小学4年生のときから、6年生のチームでプレーするくらい認められてた。6年生というのは、僕のチーム。宏次郎が中盤で、僕がフォワードという感じで、一緒に試合に出ることもしょっちゅうあった。

「宏次郎‼　なんで、パス出さへんねん‼」

前線でシュートを打とうと待ち構えているのに、ボールが来ない。クルっと振り向いて僕は叫んだ。そして、宏次郎のほうへと走り出す。

「なんでやねん、さっきからずっと俺にパス出せ言うてるやろぉ‼」

逃げる宏次郎を僕が追いかける。ボールじゃなくて、弟を追いかけた。

試合中なのに、大ゲンカだ。

まあ、そんなドタバタもあって、長友兄弟は町の中では、ちょっと有名なサッカー兄弟になっていた。

これからは僕が家族を守っていく

「これから、母さんと麻歩と佑都と宏次郎の4人で生きていくことになったから」

父さんと離婚し、三芳を離れ、母さんの実家のある西条市へ引っ越すと僕たち姉弟を前にして、母さんがそう切り出した。小学3年生になるころだ。母さんの表情がいつもとは違う。明るい母さんしか知らなかったから、そんな母さんを見た途端、顔を上げることができなかった。僕の隣で、麻歩や宏次郎も身体を硬くしているのがわかった。

「まあ、今までもいろいろ苦労があったし、これからも大丈夫やろ‼　みんなで力をあわせて頑張ったらええんよ‼」

子どもたちの緊張感を取り払うように、母さんが言った。元気を振り絞り、明るい声を出していた。

三芳と西条市はその後合併するくらいだから、それほど距離が離れているわけじゃない。でも仲の良かった友だちと別れる引っ越しは寂しかったし、辛《つら》かった。両親が離婚すれば、姓が変わるけれど、「あんたら、それ嫌やろ？」と母さんが気を使って、長友姓のまま、新しい学校、西条市立神拝《かんばい》小学校へ転校した。

新しい家は、母さんの実家の近所にあった。

「ここに、住むん？」

新居へ引っ越したとき、僕は小さな声でつぶやいてしまった。

「そうや、ここがうちら家族のお城やで‼　まあ、ちょっと古いけどな」

母さんが不安を吹き飛ばすように笑う。

古いどころの話じゃなかった。裕福だった三芳の家とは比べようもないくらいに狭いし、トイレも水洗じゃない。こんなところで生活出来るのかと思うほどだった。だけど、そんな素振りは見せなかった。母さんに心配をかけることは、もう出来ない。

「僕は長男やし、これからは家族を守っていかなアカンねん」

まだ10歳にもなっていなかったけど、僕はそう誓った。だからこそ、父さんみたいな大人にはなりたくないとも思った。その後、苦労する母さんを見るにつけ、父さんに対しての憎しみのような嫌悪感が強くなったように思う。

父さんは高校時代に野球をやっていたと聞いたことがあったけど、一緒にキャッチボールをした記憶はない。遊んだ記憶はおろか、父さんは家にいることも少なかったと思う。たまに帰ってきては、じいちゃんや母さんとケンカばかりしていた。僕たち子どもには優しくしてくれたけど、逆に「なんで、みんなと仲良う出来ひんのやろう」という不信感にもつながった。うちの父さんは友だちの家の父さんと違うんや。そんな感覚をうっすらと持っていたのかもしれない。

共に過ごした時間は短かったけど、離婚という手続きによって、父さんがいなくなるという事実を受け入れることはやはり困難だった。

「こんなん嫌や、学校にやめてって言うてや」

母と子の生活が始まって、僕が最初に母を困らせたのは転校した小学校で生徒名簿が配られたときだった。

当時の名簿には生徒名のほかに保護者の名前が明記されていて、たいていは父親の名前が書かれている。そこに母親の名があることが恥ずかしかった。それでは母子家庭であることが、一目瞭然となるからだ。母さんは学校の先生とかけあってくれて、それ以降は保護者欄には父さんの名前を書いてもらった。

母子家庭という環境であることを他人に知られたくないと思っていた。麻歩や宏次郎はそれほど気にしている様子じゃなかったから、そういう意味で、僕は結構繊細な性格だったんだと思う。普通の家とは違うということに恥ずかしさもあったし、なにより同情されたくなかった。片親だから貧乏だろうと思われているんじゃないかとか、そんな風に考えたりすることもあった。

「お母さんだけで、大変やねぇ」「お母さん、お仕事でいないのに偉いねぇ」

近所の人や同級生の親御さんが気にかけてくれることすら、嫌だった。

今思えば、僕はいろんなことに気を使っている子どもだった。外では気を張っているせいか、家に戻ると母さんに八つ当たりした。「反抗期やねぇ」と母さんはうまく流してくれていたけど、きっと辛い思いをさせたんじゃないかと、のちのち、申し訳ないと思った。

当時は子どもだから気がつかないけど、僕にはストレスがあったのかもしれない。

実際、毎日の生活も一変していた。

三芳でも新聞配達所の仕事を手伝ってはいたが、たいてい家にいた母さんは、朝から夜遅くまで仕事をするため家を空けるようになった。仕事は結婚式場や葬儀のときの司会業だったけれど、たぶん、それ以外にも仕事をしていたと思う。

学校から帰ると僕らを待っているのは、母さんが書き残したメモだけだった。晩御飯はコンビニエンスストアなどのお弁当で済ませることも多かったし、母さんの実家や伯母さんの家へ行ってご馳走になることもあった。母さんの手料理を家族みんなで囲むという団らんは当時の僕らの家庭にはなかった。料理をする時間が母さんにはなかったからだ。

忘れ物をしても、持ってきてくれる人はいない。

「自分のことは自分でやる」

それが長友家のルールだった。

たまに母さんが早く帰宅出来る日があると、ファミリーレストランで外食するのが楽しみだった。そして、寝る前に居間で小さなテーブルを家族で囲む時間も好きだった。

母さんが帰ってくると子どもたちは自然と母さんのそばに集まる。母さんはなにか書きものなんかしていて、麻歩は宿題を広げている。そして僕と宏次郎がケンカを始めて、「やめなさい‼」と母さんが怒りだす。時間にすれば短いものだったけど、それが僕ら家族の団らんだった。

失敗に終わってもチャレンジしたことに後悔はない

引っ越しをしてからは、神拝サッカースクールでサッカーを続けた。ボールを追っているときは、嫌なことも忘れられたし、三芳時代同様にガキ大将の王様プレーヤーだった。宏次郎というライバルはいたけどね。

僕らのチームは結構強かったから、試合に勝つ面白さも覚えてきた。もちろん、自分がぐんぐんドリブルして、シュートを決めるのが最高だった。

「なんやあの靴、かっこええなぁ、あれ履いてるから、勝てたんちゃうか?」

小学5年生の夏、テレビの中で、優勝を喜ぶ少年たちを見ながら思った。

1997年、全日本少年サッカー大会で優勝した柏レイソルU－12の選手たちの何人かが履いているスパイクに目がいった。

近所のスポーツ用品店で憧れのスパイクを見つけたときは、胸が躍《おど》った。しかし、その興奮は一瞬で消えうせた。

「嘘《うそ》やろ、なんで小学生やのにこんな高い靴、持ってんねん!!」

スパイクは確か2万円くらいだったと思う。普段、僕が履いているスパイクの何倍もする値段。ただでさえ、どんどん足が大きくなって、スパイクを買い直してもらわなくちゃいけない状況に「申し訳ないなぁ」と思っていた僕には、手の届かない逸品だった。

もちろん、母さんは「子どもにかかるお金は必要なもんやから、気にせんでええよ」と、スパイクはもちろん、遠征費とか、いろいろな出費をためらうことは一切なかった。それでも母さんは自分の洋服を買うことも少なく、節約していることを知っていたから、さすがに「2万円のスパイクがほしいねん」とは言えなかった。

「佑都、お前、これほしかったんやろ」

ある日、じいちゃんが僕に差し出してくれたプレゼント。箱を開けたら、あのスパイクが入ってた!! 自分でほしいとおねだりしたのか、今はよく覚えていない。でも感動的で、衝撃的なプレゼントだった。

「ありがとう‼　これで僕もサッカー、うまなるよ‼」

スパイクでサッカーがうまくなるわけじゃないけど、とにかく最高の気分で毎日サッカーをやっていた。ドリブルも今まで以上に鋭さを増した……ような気がした。


愛媛でサッカーをしている小学生にとって、憧れのチームは愛媛ＦＣのジュニアユース。僕にとっても気になるチームだった。

愛媛ＦＣは前身の松山サッカークラブ時代から、社会人チームだけでなく、高校生、中学生のチームを持つクラブ組織で、愛媛の優秀な小学生選手は愛媛ＦＣに集まっていた。

当時の愛媛ＦＣはまだ四国リーグで戦っている状況で、Ｊリーグのクラブのようなプロチームではなかったけど、12歳の僕には、そんなことはどうでも良かった……っていうか、よくわかっていなかった。ただ、自信もあったし、県内で上を目指すには、愛媛ＦＣへ行くしかないと思っていた。チャレンジしてみたかった。逆に「愛媛ＦＣに行かへんかったら、先がない」という気持ちもあった。

「愛媛ＦＣへ挑戦して、サッカーうまくなって、プロになって、母さんを楽させたい」

そんな思いもあった。プロになったら稼げると思っていたからね。

とはいえ、神拝サッカースクールには「愛媛ＦＣへ行こう」という考えを持った選手はいなかった。そりゃそうだ。愛媛ＦＣは松山にあったたし、なにより、入りたいと言って入れるチームじゃない。テストに合格しなければ、一員にはなれないのだ。

だから、僕も悩みに悩んで、決断を下した。

「愛媛ＦＣ受けてみたいねんけど」

そう監督に話したときには、すでに愛媛ＦＣジュニアユースのセレクション・テストは終わっていたけれど、特別に見てくれるという話になった。

そうして、松山へ行き、テストを受けた。ジュニアユースの練習参加がテストだった。落ちたときに恥ずかしいからと、監督と母さん以外には内緒で出かけた。

「じゃあ、長友くん、一緒にやってみて」

愛媛ＦＣの指導者に言われて、中学生の中に混じった。めちゃくちゃ緊張していた。もしかしたら、12年間の人生最大の緊張だった。なのに、ボールを蹴り始めたら、落ち着いてプレー出来た。じいちゃんに買ってもらったスパイクを履いて、伸び伸びとプレーした。それほど差を感じることもなかったし、逆に「やれるやん」という手ごたえのほうが大きかった。だから、受かったと思った。

西条から松山までは特急で1時間あまり。西条と松山を往復しながら、高いレベルでプレーする。「愛媛FCへ行くんや」と早くチームメイトに告げたい。そんなワクワクした毎日を過ごしていた。

僕の夢は、松山から届いた1枚のハガキで打ち砕かれた。

「不合格」

愛媛FCからの合否の知らせだった。ほかにもいろいろ書かれていたかもしれないけど、「不合格」の文字しか目に入らなかったし、記憶にも残っていない。

「マジかよ」

ショックが大きすぎて、悔しいという思いも吹き飛び、涙も流れなかった。

「アカンかったわ」

「残念やったねぇ。西条で頑張ったら、ええってことよ」

僕の気持ちを察してか、母さんはさらりとそう言っただけだ。

「あそこでサッカーやらなアカンのかぁ」

僕が進学する西条北中学校にもサッカー部はあった。しかし、当時そこは不良の巣窟《そうくつ》という汚名を持つ集団。サッカー部の人たちがゲームセンターにたむろして、まともにサッカーをやっている雰囲気がないのは、地元の小学生はみんな知っていた。

わずか12歳だったけど、思い描いていた、自分のサッカー人生が終わったようなそんな気がした。

愛媛FCのセレクション・テストを受けたのは、僕の人生において初めてのチャレンジ、大きな勝負だった。夢は叶《かな》わなかったが、挑戦したことに対する後悔の気持ちはなかった。友だちがイメージすることもない、高いレベルに挑んでみたいと考え、無謀だとか、絶対に無理だとか、そういうネガティブな思考を持たず、夢を実現したいと行動したことは、我ながら良くやったと今は感じる。

セレクションに落ちた理由はわからない。「なんでアカンねん」という失意が僕を落ち込ませ、傷つけたけれど、それも含めて、貴重な経験になった。このときの苦い思いは、のちに「挑戦のためには準備が必要だ」ということを教えてくれた。一足飛びで夢や目標は達成できない。階段を昇るように目標に近づくことで、それを実現出来るのだ。

第2章 一期一会

周りのせいにした自分の弱さ

「お前ら、なにしとんじゃ」

ゲームの画面から声のほうへと振り返った瞬間、恐怖に凍りついた。

仁王立ちの男の身長はそれほど大きくはないが、全身が筋肉で覆われたみたいな強靭《きょうじん》な身体《からだ》つき。ジッと僕を睨《にら》みつける目は、怒りの炎がやどっている。

「井上、来よった……、あの井上が来た。やられる」

学校一、怖い先生の鬼の形相に僕はしょんべんチビリそうなくらいビビった。

「立てや」

その言葉に僕と隣にいた友だちはスクッと立ち上がる。問答無用。その瞬間パチンと乾いた音がした。友だちが「痛い～」と頰《ほお》を押さえて、膝から崩れ落ちる。視界の端でその様子をとらえた直後、僕の頰に痛みが走った。

「なんやねん‼　なにすんねん」

そんな言葉が頭をよぎったかもしれないけれど、叩かれた頰に手をあてて、下を向き立っていることだけで精一杯だった。

「お前がこんなことやってるんを見てる母さんの気持ちを考えたことあるんか？　そのゲームやってるお金は誰のおかげぞ‼」

当時西条北中学校サッカー部の監督だった井上博先生が顔を真っ赤にしながら口にした言葉が僕の胸に響いた。

西条北中学1年生の冬のことだった。


愛媛FCのセレクションに落ち、失意のまま、僕は中学生になった。

サッカー部には所属したけれど、そこは、サッカーを楽しめるような環境ではなかった。いわゆるヤンキーがズラリとそろっていて、先輩は改造した制服を身につけ、部室にはエッチな雑誌が散らばっている。放課後も練習する人はわずかで、たいていが町の繁華街へと出かけていく。中には警察に補導される先輩もいた。

それが悪いことだとわかっていても、悪いことだからこそ、そちらへ強く引っ張られそうになることは、誰もが経験するはず。

「ええよ、練習なんか行かんで。アホらしいやん」

授業が終わると、グラウンドを抜けて、僕は校門を飛び出した。行き先はゲームセンターだったり、誰かの家だったり。先輩たちに誘われることもあったし、同級生たちだけで、集まることもあった。サッカーよりも遊ぶことのほうが楽しかった。

才能があったのか、ゲームをやっても結構強くて、それがまた、面白さにつながった。

毎日毎日遊びに明け暮れていた。

僕の家にたむろすることもあった。まあ、母さんが仕事へ行っているから、かっこうのたまり場になるのは当然だ。

「また、今日も、ぎょうさん友だち来てたんやねぇ」

一日の仕事を終え、疲れて帰宅し、散らかった部屋を片づける母さんの言葉にも僕は「うん」とうなずくだけだった。すでに僕がゲームセンターで遊んでいることや、家に友だちがたむろしていることは近所でも噂《うわさ》になっていた。

「佑都くん、大丈夫なん？　ゲームセンターで遊び呆《ほう》けてるのを見たよ」と母さんに告げる人もいた。

「ゲームセンターにおることがわかっているから、なにかあってもすぐ居場所がわかって便利ですよ」

　母さんはそう切り返したと笑った。

　実際、母さんは僕を叱《しか》ることもなかった。

「周りの忠告は煙たがるだけ。自分自身で気がつかないと意味がない。いろいろな人とつきあうことで、良いことや悪いことを自分で判断出来るようになる」と考えていたことをのちに母さんから聞いた。

　もしもガミガミ言われたら、「うるさいんじゃ!! 俺の気持ちわからへんやろ」と余計に反発していたと思う。


　当時は不良ぶっていた。悪ぶっていたね。

　授業中もたとえ最前列に座っていても教科書もノートも出さずに、ジッと先生を睨《にら》むとか。悪い先輩の真似をして、背伸びしていたのかもしれない。

　でも、それがカッコイイと思っていた僕は、今思えば、弱い人間だった。

　楽なほうへと流されて、それていったんだから。

　サッカー部が荒れて、練習をまともに出来ないのが面白くない。

片親だという目で見られることに腹が立つし、恥ずかしい。

なんで、こんなボロい家に住まなアカンねんと、卑屈になる。

僕は反抗期だった。

自分でなにかを変えようともせず、すべてが他人のせいだと決めつけていた。

だから、悪いことならなんでもやった。


映画や漫画などにあるそんな流れを期待した人もいるでしょう。

だけど、残念（？）ながら、僕はちっちゃい不良だった。他人に迷惑をかけた一番悪いことでもピンポンダッシュかな……。

やはり母さんには迷惑かけられないという思いがあった。もちろん、ピンポンを押した家の人へは申し訳なかったと思ってるよ。

「佑都も吸うてみたらええやん」

「俺はええわ」

周囲からタバコを勧められることもあった。でも、タバコには手を出さなかった。

タバコを吸うと、体力が落ちるとか、身長が伸びなくなるという話を耳にしていたから、タバコはアカンと思っていた。

「もうサッカーはええわ」と口で言い、そういう気持ちだったけれど、やはり心のどこかでサッカーのことが引っかかっていたんだと思う。愛媛FCのセレクションに落ちたこと、中学のサッカー部が悪環境だったことでの失望はもちろんあった。でも、サッカーをやめることは出来なかった。

先生の本気に触れて僕は変われた

入学式の日、新入生の僕らと一緒に井上先生は西条北中へ赴任してきた。

愛媛県出身の井上先生は、「中学校の教師になり、サッカー部を指導したい」という夢を持っていたが、なかなか教員試験に合格出来なかった。しかし小学校の教員を経て、29歳のとき、北中で念願のサッカー部の顧問になったのだ。そして、その後赴任してきた後輩の伊藤貴史《いとうたかふみ》先生と一緒に、サッカー部の再建に乗り出した。

ヤンキー集団の生徒たちに対して、ときには手を上げることもあった。先生たちはなんとかサッカー部をまともにしようと奮闘していた。

「お前ら1年生は俺と一緒に北中に来た。卒業するまでの3年間で、お前らがサッカーやれるよう俺がなんとかするけぇ。先輩のことは気にせんと、一緒にサッカーやろうや」

1年生を集めて先生はそう訴えたけど、やっぱり遊ぶほうが楽しかった。先生たちも先輩の生活指導に追われて、練習を指導することもままならない状態だったから、1年生の僕らもさぼるのは簡単だった。

「熱いこと言うてるけど、どうせ口だけやろ」

12歳か13歳の僕にとって、大人の男と言えば、やはり父さんにつながる。両親の離婚という経験によって、僕は大人の男に不信感みたいなものを抱いていた。

だから先生に出会ってすぐに改心して、サッカーへ打ち込めたわけではなかった。


「佑都、ちょっと話せへんか」

冒頭のゲームセンターでの出来事があってから、井上先生はことあるごとに僕のところへやって来た。夜、家にも来たし、呼び出されて先生の車の中で話すこともあった。

「ゲームうまいらしいやん。おもろいか?」

「お前なぁ、ついこないだまでサッカー大好きで、毎日毎日サッカーやってたんやろ。どうよ、今、物足りひんちゃうん？　もっとサッカーやりたいやろ」

「小さいころ、プロになりたい言うとったやろ。お前はプロになれると思うで。愛媛FC落ちて、ショックなんはわかるけど、ここで諦めたら、終わりやで」

「お前は、サッカーはもうやらん、もうええわ、言うとるけど、お前の目ぇは、サッカーやりたい言うてるで。俺にはわかってる」

先生の話は痛いところ、大事なところを突いてくる。「わかってくれているんや」と会話を交わすたびに心の距離が近くなるのがわかった。

まるで筋肉マンというような体型の井上先生。怒ったときの怖さは相当なものだったけれど、その優しい人柄、心の熱さ、温もりに溢《あふ》れた笑顔は人を引きつける力があった。

「佑都らの代は、神拝小時代から強かったし、うまかった。ええ選手がそろっとる。そやけど、中学のサッカー部がこんな状態やけぇ、サッカーへの情熱が薄れてしもうた。俺はな、ホンマに申し訳ないと思っとる。お前ら、サッカーやりたいのに……サッカー部がこんな状態で……」

先生が泣いていた。大人の男が泣くなんて、見たことがない。ドクン。心が震えた。

「母さんのこと考えてみぃや。朝から晩まで働いてるんは、子どもの幸せのためや。お前のスパイク買うたん、誰か、よう考えてみぃ。母さん喜ばせたないんか」

先生の言葉が耳に届いたとき、僕は母さんの顔を思い浮かべた。毎日一生懸命働いて、しんどいのにいつも笑っている母さん。泣きごとも愚痴も言わず3人の子どもたちのためにすごい頑張っている母さん。西条に来てから、母さんがのんびり座っていたり、ゆっくり寝ている姿を見たことがない。僕が遊びへ逃げても小言ひとつ言わずに見守ってくれている母さん。それだけ僕を信用し、期待してくれているということだ。というのに、僕は嫌なことから逃げて、楽なことしかやってない。

「なにやってんねん」

情けなくて、腹立たしくて、申し訳なくて、カッと身体が熱くなった。涙が頬を伝っていた。一筋涙が流れると、もう止まらない。声をあげて泣いた。

そんな風に井上先生とふたり、泣きながら語る夜は何度もあった。

「サッカー部の生徒全員に裸の心でぶつかってくれる先生。僕らを真面目にさせるため、サッカーへ戻すため、必死になってくれる。ひとりの選手、ひとりの人間に対して、こんな風に本気になれるなんて、こんな先生ほかにはおらへん」

喜怒哀楽、すべての感情をためらうこともなく、先生は僕らにぶつけてくれた。

サッカーを嫌いになってはいなかった。僕はただ、環境が好きじゃなかった。

「環境のせいにするな。すべては自分次第で変えられる」

今ならそう考える。どんな環境であっても自分さえしっかりしていれば、成長はできるし、有意義な毎日は送れる。嫌なことも、とらえ方や見方を変えれば、プラスに転換することができる。すべては自分次第なんだ。

しかし、当時の僕は、自分の手で変化が起こせるという考えには至らず、嫌な現実から目をそむけ、逃げることしかできなかった。

その環境を先生たちが変えてくれた。変えようと懸命に現実と闘っている彼らの姿が僕にとって変化のきっかけとなった。

生徒に煙たがられようとも、悪口を言われようとも先生はまったく弱気にもならず、ブレずに信念を貫いていた。もちろん諦める素振りも見せない。

『3年B組金八先生』をはじめ、テレビドラマや漫画や映画の世界には熱血先生はたくさん存在する。しかしテレビだけだと思ってた。でも、目の前にいた先生はテレビの世界以上の熱さで僕らを導いてくれた。今度は僕が変わる番だ。

泣きながら生徒を怒る先生を見ながら、「俺らを成長させるために怒っている」ということがわかった。

体罰とか、いろいろ言われるかもしれないけれど、井上先生のビンタは胸に響いた。愛、ありったけの愛が詰まった痛みは、僕の心を揺さぶった。

先生との出会いで、父親のような愛情に触れられたのかもしれない。

「大丈夫や、信じられる大人はおるんや。あんなヤバイくらい熱い人はおらへんで。僕もいつか先生みたいな大人になりたい」

気がつくと反抗期特有の大人への不信感は自然と消えていた。

「俺はお前とサッカーがやりたいんや」

先生の言葉に僕は黙ってうなずいた。そして、サッカーへ情熱を注ぐ毎日が始まる。

信念がブレないための心のノート

「これはな、心のノートやけん。なにを書いてもいいけん。とにかく毎日書いてこい」

2年生になると井上先生がそう言って、ノートを配ってくれた。この〝心のノート〟を書いたことも、僕が変われた大きな理由だと思っている。

「面倒くさいなぁ。なにを書いたらええんや」

最初はそんな風にしか思わなかった。いわゆる日記でいいんだけれど、授業中にもノートをつけてないような人間にとっては、家に帰って、机に向かいノートを広げることすら、億劫《おっくう》だった。

「今日も元気に練習できた」

「ゴールを決められなくて、残念だ」

毎日、毎日、当たり障《さわ》りなく、あったことを書くだけでも精一杯で、一辺倒な内容しか書けなかった。

「佑都、ノート見せてみぃ」

先生はどんな日でも僕らのノートを確認し、なにかしらのメッセージを書き込んで返してくれた。素っ気ない僕の言葉に対しても、熱いメッセージが書かれている。先生の熱意はその口から発する言葉からも十分に伝わってきたけれど、文字にして書き込まれた言葉からもまた違った熱が感じられた。

「文字で書くほうが素直になれるんちゃうか？」

ノートのページが増えるに従って、僕はそのことに気がついた。


真っ白なノートを前にして、今日一日にあったことを振り返る。なにが起き、どんな行動をし、そしてどういう風に感じたのか？　頭の中であれこれ考えると、その瞬間には自覚していなかったさまざまな自分の感情に気づくことが出来る。

そして、文字にして書く。パソコンや携帯なら、文字を打ち込みながら、書きすすめることが出来るけれど、ノートに書くという作業は、書き始める前にある程度、自分の気持ちを整理しなくちゃいけない。そして、ノートの上に記された僕の感情を文字として読むことで客観的に自分を見つめることが出来た。

ノートを書く作業は、まるで自分自身と会話を重ねているような時間だったから、その作業がどんどん面白くなっていく。

家に戻り、夕食をすませると、さっそくノートを開く。先生の言葉を読み、そして、自分の気持ちを記す。一日に何ページも書くことがあった。

先生との絆《きずな》を太く出来たのもこのノートがあったからだと思う。

「両親がそろっている子どもには負けたくない」

「片親だからと同情されたくない」

僕はいつもそう考えていた。その思いはあるときは力にもなった。けれど、どこかで意地を張り、強がっている部分もあったんじゃないかと、大人になった今は思う。周囲に対して必要以上に気を配り、周りの視線をいつも意識する。気の張った毎日を僕は過ごしていた。だから、見えないストレスがあったのは確かだ。

そんな僕もノートにむかうと素直になれた。強がる必要がなかった。

「チームがひとつになることは、ボールを蹴るよりも大切なこと」

これは、中学時代に僕がノートに記した言葉だ。

今でも実家に戻ると心のノートを開くことがある。「世界一熱い部活」と表紙に書かれたノートもある。

「うわぁ～熱いなぁ」

自分のことながら、当時の思いに触れて、気恥ずかしいような、頼もしいような、そんな気分になることも多い。そして、当時もそうだったけれど、過去のノートを読み返すことで、大切なことが思い出される。自分の信念がブレないのは、ノートがあるからだ。中学時代に〝心のノート〟を書いたことは、とても良かった。

自分の弱さ、弱点が見つかれば成長できる

3年生が引退し、秋くらいからは2年生の僕らがサッカー部の中心となった。

当時の僕も小学校時代と変わらないプレースタイルだった。ボールを持ったら離さない。どこまでもドリブルで勝負する。そういう王様選手だ。しかもボールを奪われても守備に戻らない。今だったら、僕自身がもっとも許せないと思うプレーヤーだ。

「佑都。お前の持ったボールは、ゴールキーパーから始まって、ディフェンダーが頑張り、チームメイトがつないでくれたボールや。お前だけのもんやない。そこを感じてプレーせなアカン。心でボールを蹴ってくれ。仲間のために走れ」

先生の言葉は十分理解していた。でも守備に戻るスタミナが僕にはなかった。走って自

陣に戻って守備をしたくても出来なかった。

「サッカーはひとりでやるもんやないし、俺らが守備頑張るから、お前は点を取ってくれ」

チームメイトはそんな風に言ってくれた。


井上先生は、サッカーについて細かいことをいろいろ言う監督ではなかった。ダメなところを補うのではなく、いいところ、武器を伸ばすタイプの指導者だったと思う。

サッカーに関して、先生からあまり怒られた記憶は少ない。

「ホンマに佑都はスゴイなぁ。これからも好きなことをやったらえぇねん」

そんな風に褒めてくれることが何度もあった。

先生の言葉は僕に自信を与えてくれた。

大好きなドリブルを褒められたら、もっともっとうまくなりたいと思う。と、同時に高いレベルで、勝負してみたいと自然に目標も生まれてくる。そうなれば、日々なにをしなくちゃいけないか、考える作業も楽しくなった。

先生は考えることの面白さと重要性を僕らに教えてくれた。

「今日の試合、なんで負けたと思う？　どこがアカンかったと思う？」

試合後、先生にそう問われた選手たちは、それぞれ個人の課題、チームとしての課題を口にする。

「よっしゃ、わかった。足りひん思うたところは、練習したらええだけや。練習すれば伸びるんや。あとはお前らが決めろ」

そして、休み時間に選手が集まり、メニュー・キャプテンを中心に次の1週間の練習プランを立てた。練習メニューを生徒に任せる指導者は少ないと思う。でも、自分で足りないところを見つけて、それを補うためにはどんな練習をすればいいのかを考えて、練習するというやり方は僕らのやる気を促《うなが》した。練習前に練習内容がわかっているから、素早く練習にも取り組めたし、効果も出て結果も生みだした。


ダメなところを見つけて、そこを補う練習をする。

これはとてもシンプルなことだけど、とても重要なことだと思う。そして、その積み重ねが出来れば、うまくなれる、成長出来るということを、このとき僕は学んだ。

今も常に自分の足りないところを探している。

自分の弱さ、弱点を見つける感度は鈍らせたくない。弱点が見つかれば、また成長出来る。逆にそれを見つけられなければ、このまま止まってしまう。そんな危機感がある。自分の未熟さを知るためには、より高いレベルに挑戦し続けなくてはならない。

挑戦を恐れないのは、さらに成長したいから。

そんな自分の考え方の基本は、中学時代に身につけられた。

上には上がいる。僕はとことん上を目指す

2年前までは不良の巣窟と言われていた西条北中サッカー部は、どんどん強くなった。市内ではもちろん、市外のチームと対戦しても対等、もしくはそれ以上に戦えるという手ごたえがあった。

「県予選で一番になって、全国中学校サッカー大会へ行くぞ‼」

目標は全国大会。まずは市で一番になり、県予選への切符を手に入れなくちゃいけない。

そんな意気込みに溢れた僕らは3年生になる。

「なんで、あいつら、本気で戦ってくれへんねん‼」

試合に負けて、肩を落とすチームメイトたちの中で、僕は泣いていた。

3年生になる前の春休み。大阪遠征から帰宅するフェリーでの出来事だ。

ガンバ大阪ジュニアユースとの練習試合を戦うために大阪へ出かけた僕らは、プロの下部組織との初めての一戦をとても楽しみにしていた。プロ予備軍と言われる大阪ナンバー1のチームにはどんな選手がいるのか？　そんなチームとどれくらい戦えるのか？　全国を目指す、僕らにとっては重要な試合だった。

試合には負けた。やっぱり彼らは強かったし、自分たちとの差も小さくはなかった。だから、チームメイトはそのことで落胆していたが、僕は違った。

対戦相手はレギュラーチームではなく、サブチーム。なのに、相手が本気で戦っていないことが感じられたからだ。

「完全になめられてた。あいつら、チャラチャラ遊び半分やったで。遊ばれただけや」

本気を出していないサブチームに完敗した。

悔しかった。

毎日毎日、一生懸命サッカーをやってきた。練習だって手を抜いたことはない。なのに、相手にもしてもらえなかった。僕らの毎日はなんだったのか。

西条しか知らなかった僕は、上には上がいるということを思い知った。自分が王様でいられる場所がいかに狭くて、小さいかを。

実は僕にはこのとき、泣いた記憶がない。

「お前はオイオイ泣いとったんや。あのときの悔しさが今につながってると思うで」

先生が言うのだから、僕は泣いていたのだろうと思う。実際泣いてもおかしくはないほどの屈辱を味わった。その情けなさと怒りの感触は、今でも思い出せるから。

目標に掲げていた全中出場。その西条市予選の決勝戦で負けてしまった。全国大会はおろか、県予選にも進めなかった。

試合後、みんな泣いていた。そして、誓った。

「もっともっと、強なろうや」

3年生の初夏、僕らは変わった。

「お前、ホンマに気合入れてやってんのか‼」

「なんで、あんな軽いプレーしとんじゃ‼」

練習試合のハーフタイム。西条北中のベンチではそんな罵声《ばせい》が飛び交う。もちろん先生が言っているわけじゃない。選手同士がお互いに叱咤《しった》しあっているのだ。

「そんなこと言うお前かて、へボいミスしとったやないか‼」

ときには殴り合いになりそうなほどの剣幕で言いあった。

その熱さは練習中でも同じ。もちろん練習量も増えた。

放課後、先生がグラウンドへ来る前にはもう練習を始めていたし、1本のパス、1本のシュートにも魂を込めてボールを蹴った。気の抜いたプレーをしたら、チームメイトから怒鳴り声を浴びることになる。練習中から100％燃焼することが当たり前という環境が出来あがっていた。

「あのころのハーフタイムは戦争みたいやったなぁ。お前らの熱さには先生もちょっと引いたでぇ」

井上先生は笑いながら当時を振り返るけれど、嬉しかったに違いない。

7月、高円宮杯全日本ユースサッカー選手権大会の予選が始まった。全国にある中学校のサッカー部とＪリーグ、ＪＦＬの下部組織、クラブチームが参加する大会は、全国で32

チームしか本戦には出場出来ない。四国からは2チームだけだ。この大会は僕らのチームにとって最後の大会。負ければそこで引退だ。

残念ながら、西条北中は県予選で敗退した。けれど、下を向くことはなかった。

「県3位という成績を恥じることはない。お前らは必死になって、練習に取り組んだ。たとえ結果が残せなくても、努力したことに価値があるんや」

先生はそんな風に言って笑ってくれた。僕らが毎日頑張り、成長したことで少しは先生に恩返しできたのかもしれないと思えた。

努力の面白さを知った駅伝

「これから、駅伝やるで‼」

井上先生が目を輝かせながら、そう言いだしたのは、県予選が終わった直後だった。僕らサッカー部の3年生を中心に駅伝チームを作るというのだ。

「なにを無茶なこと言うてんねん」

大好きな先生の提案でも、正直なところ僕は、「ちょっと待ってぇや」と思った。

駅伝と言えば、長距離走。僕はサッカーの試合で、守備に戻りたくても、戻れないくらいスタミナがない。サッカー部のトレーニングで長距離を走るときも、3年になるまではいつも隠れてサボるグループにいたくらいだ。

校外を3キロくらい走るメニューのときは、勢い良く校門を出ると、サッと横道にそれて隠れた。そしてチームメイトが校門に戻るタイミングで、戻って来た輪に加わる。顔とか頭を水で濡らし、さも走って来たかのように見せて。

そんな感じだから校内のマラソン大会でも散々な成績しか残せていない。2年生のときなんて、全3学年で男子が100人いたとしたら、50番台。文化部の生徒と変わらないくらいの順位なんだから。学校を代表して駅伝大会に出場するなんて、ありえない。

「佑都、お前な、上を目指したいと考えてるんやろ？　だったら、走れるようにならなアカン。スタミナをつけなければ、上には行かれへんぞ!!」

先生はそう言ってまた、痛いところを突いてきた。

僕自身、このスタミナでは、〝上〟では通用しないということは薄々というか、十分理解していた。プロになるためには強豪の高校に行くしかないと考えていた僕は、先生の言葉にカッと熱くなる。

「やるしかないやろ」

そう腹をくくった。

次の日から、ハードなトレーニングが始まった。

４００メートル10本、３キロ２本……。チーム練習で１日15キロ以上は走った。

「何分以内で走るんや」とインターバルもどんどん短くなった。

あまりにキツイ練習のため、疲労骨折をしてしまった選手もいたし、「成長期の子どもをそんなに走らせたら危険だ」という声もあった。しかし、先生も僕らもそんな声に耳を貸すことはなかった。

とにかく熱い集団だったから。やると決めたらやるしかない。

僕も燃えた。チーム練習以外にも自主トレーニングとして、走った。走って走って走りまくった。とにかく走ることしか、考えていなかった。

「上へ行く。そのためには、走れるようにならなアカン」という決意が固まると、負けず嫌いのスイッチが入る。スタミナがない、足が遅い……そんなネガティブな言い訳はもう頭の中からは消えていた。

「絶対に負けたくない」

目の前の選手をいかに追い越すか。誰かの背中を見て走るのはゴメンだ。先走る気持ちが一歩、さらに一歩と脚を前へ出す力に変わる。苦しい、息が上がる、胸が痛い。でも、ここで踏ん張れば、こいつを抜ける。目標へと近づくことが出来る。


「佑都、どないしたんや。メッチャ速なっとうやん」

先生もチームメイトも驚いた。あんなに走るのが遅かった僕が、いつも一番を争っているのだから。練習したぶんだけタイムが速くなっていた。

努力をしたら結果が得られる。だから努力がどんどん楽しくなってくる。

「目標があったら、僕はとことんやるタイプなんや」

駅伝を走る毎日は、自分自身の新たな力に気づかせてくれた。

目の前に目標を置き、それに向かって追い込んでいく。その作業、努力が嫌いじゃないということ、努力の面白さを知った。自分の中にあるストイックさの根っこを発見出来た。


自主練習までして走ったのにはもうひとつ理由がある。

もちろん、負けたくない思いもあったけれど、自分の未熟さを知っていたからだ。

確かに2年生の秋くらいからは、心を入れ替えて、サッカーに没頭した。

でも、駅伝を始めて、まだ自分にはやるべきことがあると考えた。

まだまだ僕は弱い。だけど、それはもっともっと強くなれるということ。

中学に入学してから1年あまり、サッカーも学校も適当で、毎日遊びへと逃げた。

一度道をそれた時間があったからこそ「あのときは馬鹿だった。もうあんな風な毎日は送りたくない」と心底思える。その気持ちがあるからこそ、努力すること、真面目にやることの大切さを痛感できる。

僕が努力を惜しみたくないと考えられるのは、あのそれた日々があるからだ。

もちろん、そこから僕を戻してくれた先生への感謝もさらに強くなる。

タイムが速くなるのを喜んでくれる先生の顔も力になった。


「俺はな、ただただ、お前らと離れとうなかったんや。1日でも長く、一緒におりたい、一緒になにかをやりたい。そう思って、駅伝を走ることにしたんや」

井上先生がそう打ち明けてくれたのが、いつのことだったかは思い出せない。その気持ちは嬉しかったし、僕もサッカー部のみんなも先生と同じ気持ちだった。

自分次第で未来はどうにでも変えられる

夏の終わりから走り始めた僕らは、冬、駅伝大会を迎える。

「そんな靴じゃあ、危ないし、新しい靴で走ったほうがええんちゃうか？」

大会を前にして、周囲の人たちから、何度もそう言われた。中には「貸してやるよ」と言ってくれる人もいたし、母さんだって「買おう」と言ってくれた。

「ええねん。この靴で走りたいから」

僕はすべての申し出をきっぱりと断った。

駅伝活動が始まると、みんなは長距離走用のシューズや軽いランニングシューズを履いていた。でも僕はずっと普通の通学用の運動靴で走った。数か月の猛練習で靴底のゴムはすり減ってくる。そして、かかとの部分からペラペラとはがれてくる。その部分をハサミで切って、また走り続けた。だんだんはがれてくる部分が増えて、大会前には靴の真ん中くらいまで、ゴムがない状態だった。今思うと結構笑える。つま先部分にしかゴムがついてないんだから。

周囲の申し出を断ったのは、「同情されたくない」と思ったからじゃない。ただ、この靴で走りたかっただけ。ボロボロの靴には自分のいろんな気持ちが詰まっている。僕にとっては共に努力した大切な仲間なんだ。

そして駅伝大会。アンカーだった僕はチームメイトがつないだタスキを背負い走った。先を走るランナーの背中をとらえ、大きなストライドで駆け出す。町の風景がどんどんと後ろへ流れていく。そしてライバルに並び、追い抜く。風が気持ち良くて、スピードを上げるたび、未来へと目標へと近づくようなそんな気分だ。

僕は区間賞をもらったけれど、チームは県3位で終わる。

3年生の校内マラソン大会では、堂々1位に輝いた。50位以上も順位がアップした。

駅伝のトレーニングをしたことで、得たものは本当にたくさんある。

子どものうちに心肺機能を鍛えることが出来た僕には、走力とスタミナが身についた。

目標を定め、そこへ向かって頑張れる自分の可能性を知った。

努力をすることで成果が出る。妥協しないことの意味や価値を実体験から学べた。

サッカープレーヤーとして、人間として、努力が出来るという武器、ストロングポイントを見つけられたことは大きい。


〝努力する才能〟がないと、成長出来ないと思う。

どんなにサッカーがうまくても努力をしないと上へは行けない。

現在の自分に満足せず、なにが足りないかを知り、それを補うトレーニングを行う。

〝努力する才能〟とは、努力することを躊躇《ためら》わない勇気でもある。

「こんなことやっても意味があるのか?」「このへんでええかな」

そんな弱い心を振り切り、挑戦する気持ちが大事なんだ。

もし、壁にぶつかっても強い気持ちがあればまた這《は》い上がれる。

僕はプロになってサッカーを続けたい。

しかし、愛媛県選抜チームに選ばれたこともない。全国大会へ出たこともなければ、県で一番になったこともない。まったく普通の中学生でしかない。だけど、まだまだ時間はある。これからの自分次第で未来はどうにでも変えられる。

数カ月間走り込んだだけで、自分はこんなに変われたのだから。

夢や目標を叶えることが、必ずしも成功ではないと僕は考えている。大切なのは叶えるために日々努力すること。現在の自分に満足せず、なにが足りないのかを探し、それを伸ばすトレーニングをする。そのプロセスが一番大事だと思い、僕は生きている。目に見える成果が出なくても、やったぶんだけ、人は成長する。夢が実現しなくても、努力したあとには、成長した自分が待っている。

そういう意味で、中学時代の駅伝は、僕に努力の成功体験を与えてくれた。

追いかけるターゲットが身近にいるほうが成長出来る

駅伝大会が終わり、いよいよ卒業後の進路について、真剣に考えなければならない時期を迎えた。

僕は、強豪高校へ進学したいと考えていた。

「這い上がってやる」という気持ちが誰よりも強い僕は、厳しい環境に身を置いたほうが伸びる。自分が一番でいるよりも、すごい選手、レベルの高い選手たちの中で、「負けたくない」と感じ、努力したいと思った。上には上がいる。誰かの背中を見すえ、追い抜いてやろうと走った駅伝のように、追いかけるべきターゲットが身近にいるほうがいい。そういう中で頑張れる自分を知っているから、より厳しい環境を求めた。

そんなときにイメージするのは、長崎の国見《くにみ》高校、鹿児島の鹿児島実業《かごしまじつぎょう》高校、そして福岡の東福岡《ひがしふくおか》高校という九州の高校だった。全国高校サッカー選手権大会の出場常連校で、何度も優勝し、それぞれが多くのJリーガーを輩出している。

なかでも、1997年度、1998年度と選手権2連覇を果たした東福岡高校に魅かれた。特に夏のインターハイ、全日本ユースと優勝し、史上初の高校三冠が懸かった選手権の1997年度大会決勝戦は、11歳だった僕の脳裏に焼きついていた。

しかも、東福岡高校は進学校としても有名だった。もし、サッカーがダメでもいい大学へ行ける。名門大学から大手企業への就職、いい給料、母さんを楽にしてあげられる……そんなことも考えた。

卒業後、東福岡へ行きたいという気持ちはわりとすんなり決まったが、しばらくは誰にも言えなかった。

東福岡高校は私立高校だった。

県外の高校へ行くことになれば、下宿代や寮費など、地元に残るよりもお金がかかる。そのうえ、私立の学校となれば、授業料も公立高校より高額だ。弟の宏次郎のことだってある。そう簡単に「東福岡へ行きたい」なんて、僕には言えなかった。これ以上、母さんに大変な思いをさせていいのか、と悩んだ。

もちろんお金のことだけじゃない。長男である僕が家を出たら、誰が母さんや家族を守るんだ、という思いもあった。

井上先生は僕が県外へ出たいと考えていることは理解していたし、先生から東福岡の話が出ることもあった。

「推薦入学でお願い出来る可能性もあるよ」

そんな話もしてくれた。

「母さんはね、佑都に東福岡に行ってほしいと思ってんのよ。あんたから『行きたい』と言うてくれんのをずっと待っとったんや。お金のことなんか、どうにでもなるんやし、子どもが心配する必要はないから」

僕が東福岡高校への進学についての話をしたとき、母さんはホッとしたような顔でそう言ってくれた。

母さんの父さんである吉田達雄《よしだたつお》は日本競輪学校の1期生で、その弟である実《みのる》は、日本競輪界に一時代を築いたと言われる名選手だった。競輪選手のいとこもいた。母さんはアスリート一家の中で育った。

「私、思うんよ。佑都は絶対アスリートに向いているって。だから、その道で勝負してほしいんよ。もしアカンかっても別にかまへんし。挑戦せな、失敗も出来ひんやろ」

僕を東福岡高校へ進学させることは、母さんにとっても大きな挑戦だったはずだ。しかし、まったく迷うことなく母さんは僕の背中を押してくれた。

「教育は一生残るものだから、子どもにはいろんな経験をさせてあげたかった。でも、私立の大学へ行くならひとり一千万円かかるとか言われていたから。私もね、覚悟を決めて、佑都が東福岡へ行ったとき、生命保険に入ったんよ。長友家の教育方針は、どんどん世界に飛び出してほしいということ。世界で活躍するような人間になってほしいってことやからね」

最近、母さん当時の話を聞かせてくれた。僕が母さんの願いを叶えられたから、明かしてくれた秘密なのかもしれない。

自分づくり、仲間づくり、感謝の心

無事に東福岡高校への入学が決まり、僕の旅立ちの日が迫ってくる。高いレベルでサッカーが出来るという喜びや期待。そして、別れの寂しさ、不安が入れ代わり立ち代わり僕の心を占領する。それでも決意は変わらない。変わらないどころか、寂しさを打ち消すたびに、決意は強くなった。

卒業式。在校生に送られ式場から退場するとき、僕は立ち止まった。そして振り返り、大きな声で叫んだ。高まる感謝の思いを伝えたくて、声を響かせた。

「本当にありがとうございました‼　北中最高や‼　マジ忘れへんからな」

自分づくり。

仲間づくり。

感謝の心。

これは井上先生が掲げたサッカー部の3本柱であり、長友佑都という人間の土台だ。そういう土台作りが中学生時代に出来た。

人間には無限の可能性が秘められている。だからこそ、誰もが夢を持ち、それを実現させようと頑張れる。なにを頑張るかと言えば、まずは自分という人間を磨くことだと僕は思っている。諦めず、妥協せず、挑戦する勇気、努力を惜しまない姿勢。それを井上先生、そして副顧問だった貴史先生が教えてくれた。先生たちが荒れたサッカー部を必死で立て直す姿に僕らは学んだ。

貴史先生は、僕が3年生になったとき、他校へ転勤したけれど、僕らのもとへ訪れてはサポートしてくれた。今は教職を離れてレストランのオーナーとして頑張っている。井上先生よりも年齢の若い貴史先生は、僕らにとっての良き兄貴みたいな存在だった。そんな貴史先生も僕と同じ母子家庭で育った。3年生の夏、全日本ユース大会直前に貴史先生のお母さんが他界された。そのことを貴史先生の口から告げられたとき、僕は思った。

「貴史先生のお母さんは星になった。僕はその星の下で、いい加減に過ごすことなんて出来ん。先生のお母さんにも恥じないようにやらなアカン」

先生のお母さんのことを思うと止まらない涙をぬぐいながら、夜11時くらいまで自主トレをやったのも、当然のことだった。もちろん先生はとても驚いていたけど。


小さな子どものお父さんでもある井上先生も毎日僕らをサポートしてくれた。先生の仕事はサッカー部のことだけじゃないから、部活が終わると学校に泊まり込んで、たまった仕事を片づけることもあった。

「うちは母子家庭みたいやで。全然家に帰られへん。そやけど徹夜で仕事をしても朝になったらお前らに会えると思ったら嬉しいし、力が湧《わ》いてくる」

そんな風に井上先生は笑い、仕事という枠を超えて、生徒のために尽くしてくれた。母さんの帰宅が遅くなることを知っているから、僕を夕食に招待してくれたこともある。

先生の息子さんが、病気がちであることを知ったのは、2年生の冬休み前だった。

「子どもの具合が良くないから、冬休みは部活には来られへんかもしれへん」

胸が張り裂けそうになった。息子さんのことを心配する素振りも見せず、今まで僕らを支えてくれた事実が嬉しかったけれど、それ以上に奥さんや息子さんに申し訳ない気持ちになった。高ぶった感情が僕の涙になる。

「先生は練習こんんでええから。息子さんのそばにおってあげて。先生おらんでも自分らでやれるし、先生がいないほうが真剣になれてええんや」

震えた声でお願いした。それが精一杯だった。


「人ってすごいんだよ。そばにおる人のために力が出せる。人を好きになること、自分の中に大事な人がおるということは、ホンマに素晴らしいことなんや」

先生は言葉で、そして態度でそれを教えてくれた。

いい仲間がいるからこそ、自分は頑張ってこられたんだ。先生も先生の家族も僕にとっては大切な仲間。その家族が大変な状況に立たされているときに、知らん顔は出来ないし、困難と闘う仲間に恥じるような毎日を送るわけにはいかない。

その気持ちが自然と感謝の心につながる。僕はひとりじゃないし、ひとりで闘ってきたわけでもない。もしひとりなら頑張れなかったと正直思う。多くの人に支えてもらい、多くの人がそばにいてくれたから、辛い練習も苦にならなかった。

「佑都ならできる」「佑都頑張れ」

みんなの声に僕は熱くなれた。「まだまだやれる」と歯を食いしばることが出来た。

サッカーで上を目指したいという思いは、自分のためなのかもしれない。でも、僕が目標を達成し、夢を叶えることで、恩返しができる。

「恩返しをしたい。恩返しをしなくちゃいけない」

そんな感謝の心が僕に力を与えてくれる。


2002年3月。

サッカー部では卒業する3年生への歓送の意味を込めた試合が行われた。試合が終わると、全員で集まって歌った。

「負けないこと、投げ出さないこと、逃げ出さないこと、信じ抜くこと、駄目になりそうなとき、それが一番大事」

10年くらい前に流行《はや》った大事MANブラザーズバンドの「それが大事」は、練習中に流れていたり、バスの中で聞いたりした僕らのテーマソングだ。

輪が崩れ、それぞれが部室へ向かったり、グラウンド整備や練習の後片づけを始める。

僕はそんなチームメイトの背中をずっと見ていた。

「お別れなんやなぁ」と思えば、当然、胸に熱いものがこみ上げてくる。

ふぅーと深呼吸して、それを心の中に抑え込む。

「先生、ひとりでトンボかけたいんやけど」

僕の突然の申し入れに、一瞬驚いた顔をした井上先生が黙ってうなずいてくれた。

グラウンド整備用の器具である、トンボを引っ張りながら、気持ちを落ち着かせてみる。

3年間のさまざまなシーンが頭の中をよぎる。泣いたり、笑ったり、怒ったり……悔しかったこと、嬉しかったこと。むき出しの感情と共に歩いた毎日。成長を繰り返した僕の日々をこのグラウンドが覚えているだろう。

そして、僕も忘れない。

寂しいと思ったら闘えない、大きくなれない

高校の入学式はまだ先だったけれど、春休みから練習に参加出来るというので、福岡へ出発することになった。

校門のまわりではサッカー部のチームメイトや先生が、愛媛を離れる僕を見送ろうと待っていた。

「頑張れよ」

「お前もな」

挨拶の言葉が飛び交う。軽くハイタッチをかわす。握手をする。肩を叩きあう。頭を小突かれたりもした。

みんな笑ってる。目に涙を溜めていても基本笑顔だ。

そして、写真や手紙をもらった。

懐かしい光景のポートレイト。厚さは薄くても思いがこもった封筒。色とりどりの花束。

僕の手に託されたみんなとの絆の証《あかし》。

立ち止まることは出来ない。校門へ、学校の外へと向かう足は止められない。

「佑都、頑張ってくるんやでぇ」

みんなの声が聞こえる。僕の背中にささる。もう限界だった。

「こんなん、いらんわ‼　お前らへボいんじゃ‼」

花束をなげる。写真を破る。

「絶対プロになるんや‼」

手紙も破ってほうりなげる。

「俺はビッグになってやる‼」

写真や手紙のカケラが地面を舞っている。

「長友革命や‼」

なにも残されていない空っぽの手を握り締めて、僕は叫んだ。


もっともっと成長したいから、上のレベルで勝負したい。

そう誓った僕は生まれ育った街を出る。

家族や友だち、恩師との別れに感傷的な気持ちになったら、大きくはなれない。

寂しいとか思ったら闘えない。

だから、福岡へはなにも持って行きたくはなかった。

大切なものはすべて、心に刻まれているから、もう僕には必要がない。


嬉しかった。

見送ってくれたみんなの思いが込められた手紙や写真。愛情や友情がビンビン伝わってきた。温かい空気に包まれて幸せだった。

「アカン、甘えたらアカン」

もうひとりの自分がささやく。

「活躍するまで、ここへは戻れない」

それは福岡行きを決意したときから、わかっていたことだった。でも、本当の旅立ちの瞬間、僕は覚悟し、腹をくくった。

あれから10年あまりが過ぎた今、本当に申し訳ないことをしたという気持ちもある。だって、感情に任せた行動とはいえ、せっかくの手紙や写真を破り捨てたのだから。

でも、それを後悔することはない。逆に良かったと思っている。

僕は、安定した日々を送りたいとは考えていない。安心した気持ちで暮らしたくはない。不安というのではなく、常に危機感を抱いていたい。そういう気持ちがあれば、頑張るしかないと考え、成長へ結びつくから。だから、がけっぷちに立っているような緊張した毎日のほうが、実は居心地がいい。

全力で努力をするしかないと、とことん自分を追いつめることになったこの行動は、僕にとっては貴重なものだった。

あんなことをしたのだから、中途半端な気持ちでは生きられない。
愛媛を出発したあの日から、僕は毎日、毎日そう思い闘っている。
福岡でも、東京でもチェゼーナでも、そしてミラノでも。
僕の旅立ちの原点であるあの日のことは、忘れようにも忘れられない。

第3章　一意専心

今なにをすべきか
なにが出来るのかを考えてしがみつく

「母さん、今まで本当にありがとう。僕を産んでくれてありがとう」
「お母さんは、なにも母親らしいことが出来ひんかった。ゴメンね」
「僕は、母さんがいてくれるだけでよかった」

松山空港まで送ってくれた家族の前で、涙は流さなかった。笑顔を見せることが出来たかどうかもわからない。ただ泣けないと頑張っていたことだけはよく覚えている。手荷物検査場を経て、機内へと向かい、シートベルトを締め、離陸のアナウンスが流れたとき、僕の頬《ほお》に涙が伝った。

福岡へ到着し、寮だったか、ホテルだったか忘れてしまったけど、たったひとりの部屋で僕が思うのは母さんのことだった。だから携帯電話でメールを送った。すぐに返事が来て、またメールを書いた。

離れて暮らす僕と家族との間をつないだメールの数々。その最初の一通は感謝の言葉しか思い浮かばなかった。

そして僕は福岡での3年間をサッカーに捧げようと誓った。

東福岡高校には地元福岡だけでなく、九州、中国、関西とさまざまな地域から選手が集まってくる。県や地域の選抜チームに選ばれた選手も少なくない。部員数は全学年で150人という大所帯。単純に考えてもひとつのポジションを15人くらいで争うことになる。レギュラーになるための争いは激しい。毎年100人近い新入生が入部するけれど、厳しい練習や競争についていけず退部する生徒もたくさんいることは聞いていた。

「佑都は気持ちが強いから、大丈夫や」

そう言って送り出してくれた井上先生も半信半疑だったかもしれない。

「150人っていったいどんな数やねん」

僕自身はまったく想像が出来なかったけれど、並大抵な気持ちでは競争に勝てないことは自覚していた。

入学式前の春休みの段階から、練習参加が許されたのは、サッカー推薦で入学する選手たちだ。僕もそのひとりとして、許可されたわけだけど、これは大きなチャンスだと思った。選手の数が増えれば、監督の目に留まる機会も少なくなるから。

初練習の日は雨が降っていた。

「愛媛県西条北中学校から来ました、長友佑都です。ミッドフィルダーです」

3年生、2年生を中心とした選手たちを前にしての挨拶《あいさつ》。緊張感を振り払うように大きな声を出した。

「じゃあ、今日は雨も降っているし、走ることにするから」

練習メニューを告げたコーチの言葉を聞いたとき、自然と拳に力が入った。

「走りなら誰にも負けへん」

駅伝で鍛《きた》えたスタミナと走力を見せるチャンスがいきなり巡ってきた。

「このチャンス、ものにしてやる‼」

パッと心の中に火がついた。トップでゴールし、先生や先輩に対してインパクトを残さなければならない。

その誓いどおり、僕は先頭を走り続けた。先輩も後輩も新入部員も関係ない。ぐんぐんとスピードを上げて走った。

「誰やねん、アイツ」

走り終わり、疲れた表情を浮かべる先輩たちはそんな顔で僕を見ていた。

当時の志波芳則《しわよしのり》監督もこのとき、僕のことを強く認識してくれたはずだ。


博多駅から15分くらい歩いたところに学校はある。サッカー以外にも野球やラグビーなど全国大会で活躍する部がいくつもある東福岡高校は、2010年夏に学園創立65周年を記念し、新校舎を建設。サッカーコートが3面ほどとれる人口芝のグラウンドが完成したが、僕が入学したころはまだ土のグラウンドだった。

当時開寮したばかりの学生寮・志学館《しがくかん》は学校に隣接。全個室の100名近い生徒が暮らせる施設で、僕もここで生活することになった。

「努力に勝る天才なし」「意志あるところ道あり」

校訓であるこの言葉を紙に書き、部屋に貼った。


東福岡高校は、全校生徒数が2000人を超えるマンモス校。新入生だけでも700人近い。サッカー部の部員数が多いことにも納得がいく。入学式が終わるとサッカー部の選手の数もグンと増えた。

放課後の部活動は、選手のレベルによって分けられたグループ毎に行われる。いわゆるレギュラーであるトップチームは3年生が中心だが、2年生や1年生でもそのグループでプレーする選手もいた。でも僕は多くの1年生同様にトップチームではなかった。

全体練習でボールを蹴る時間は短く、蹴ったとしてもグラウンドの隅っこの狭いエリアでのトレーニングが中心。またトップチームのボール拾いをすることもあった。

先輩たちの巧みなプレーに驚いた。同級生の中にもうまい選手は多い。ボールを止めて、蹴るという基本的なことは僕にも出来た。でも、西日本の猛者《もさ》たちはそれにとどまらず、器用で高い技術を身につけている。僕はチームメイトの中で身長も低く、身体《からだ》の線も細い。周りには似たような選手が山ほどいる。志波監督が僕ら下級生のグループを見る機会は少ない。レギュラーになるための道のりはとても長いものに思えた。

でも、目指す場所がどんなに遠く離れていても這い上がっていくしかない。レベルの高い環境に身を置いているのだから、ギャップを感じるのは当然だ。ここでヘコタレていては、福岡へ来た意味がない。自分に足りないものはなにか、今なにをすべきか、なにが出来るのかを考えて、目標にしがみついていくしか方法はなかった。

全体練習が終わっても、帰宅することなく、自主練習を行った。1年生が思う存分ボールに触れるのはこの時間しかない。夢中で蹴った。

3年生の先輩が練習前後にストレッチをやっているのを見て、それも真似た。吸収出来るものはなんでも吸収したかったから。

もちろん、走るトレーニングのときは、誰にも負けないことを肝《きも》に銘じて、ずっとトップで走った。

「僕は人生の中で、たったひとつ後悔していることがあるねん。あの日、母さんを蹴ってしまったことは、本当に申し訳なかったと思っている」

親元を離れて初めてむかえた母の日にそんなメールを送った。

あの日とは、中学3年生の春のことだ。司会業を務めていた母さんが、宏次郎《こうじろう》の入学式で保護者代表の挨拶をした。当時の僕は母さんが目立った行動をとることが、なぜか嫌だった。「絶対に挨拶せんといてな」と言っていたのに、挨拶したことに腹を立てて、母さんを蹴ってしまった。感情的な行動を悔いたが、そのときは謝ることが出来なかった。

しかし、家族と離れ福岡で、たったひとり闘う日々の中で思った。「僕には背負うべきものがある。だから、サッカーでも勉強でもなんでもいい、人生において絶対に結果を出さなくちゃいけない」と自然とタフな精神力が生まれた。そして、母子家庭であることは恥ずかしいことじゃないと考えるようになり、母子4人で暮らしてきたことを誇りに思った。自分が強くなって、家族を支えるんだと、改めて決意する。だから、母さんにも素直に謝ることが出来たのかもしれない。

子どものころから、母子家庭という環境に対して過敏に反応し、神経質になり、溜めていたストレス。そんな弱い自分と決別出来たのは、家族と離れ、福岡で暮らしたからだ。

短所よりも長所を伸ばし武器を作る

夏休みも毎日練習が続いた。

1日くらいの休みでは帰省もできない。遠方出身の選手の家族が、試合観戦などで福岡を訪れることもある。けれど、うちの母さんにはそんな時間がない。

「なにかあったら、俺はいつでも西条に帰るから」

「心配せんでも大丈夫よ。佑都はサッカー頑張って」

母さんはいつも元気に振る舞っているけれど、本当に大丈夫なのかと、麻歩《まほ》や宏次郎にメールすることもあった。目まぐるしく過ぎていく毎日の中で、たまに送るメールとそれよりも回数の少ない電話。僕ら家族はそうやってつながっていた。2年生の夏、岡山遠征に、母さんが足を運んでくれるまで家族と会うことはなかった。


1年生の12月、トップチームが予選を勝ち抜き、高校選手権の出場が決まった。東福岡では、大会登録メンバーとは別に毎大会、チームのサポートを目的にお手伝いメンバーとして数名の1年生がトップチームに同行する。

「佑都、しっかりサポートするんだぞ」

そのメンバーに選んでもらえた。まるで奇跡が起きたようなそんな気分だ。僕よりもうまい選手はほかにもいる。でも、頑張ってきたことが認められた証《あかし》だと胸を張って、上京するチームに同行した。

選手権に出場するとき、トップチームはユニフォームや練習着、ジャージやグラウンドコートを新調する。サポートメンバーにも用意されたそれをもらえたときは夢みたいだった。真新しいピカピカのジャージを着て、手に持った鞄《かばん》も新品。しかも舞台は憧れの選手権。自然と気持ちがたかぶった。試合はスタンド観戦だったけれど、そんなことはまったく関係ない。声の限りに応援した。

大会は兵庫県の滝川第二に準々決勝で敗れて、ベスト8で終わった。東福岡もいいチームだっただけに、本当に残念だったし、悔し涙を流す先輩たちの姿を間近に見て、選手権の厳しさを知った。そして夢だった選手権が具体的な目標として胸に刻まれた。

東福岡高校にはいくつかのコースがある。大多数の生徒が属するのが進学コースで、特進、特進英数など、偏差値の高い大学を目指すコースもある。僕は進学コースだ。2年生になると進学先を見すえて理系か文系かを選択しなければいけない。

新チームがスタートしても僕はまだ、レギュラーと呼べる立場にはいなかった。高校卒業してすぐにプロになるのは、難しいかもしれない。母さんは子どもたちには大学へ進学してほしいと言っていた。僕は文系コースを選び、受験についても意識するようになった。

とはいえ、サッカー部でのレギュラー争いでも勝ち残っていかなくちゃならない。1年間の部活経験で、僕は悟った。

「このままではアカン。このままみんなと同じように技術を磨き続けても、上にいるヤツらと勝負できひん。身体も小さいままや。ほかの選手にはない武器を磨くほうがええんとちゃうか？」

たとえば、試合でピッチに立つ選手は22名。その中でいち早く目につくのは、足が速いとか、パスがうまいとか、誰にも負けないストロングポイントを持った選手だ。すべてのことが平均的に出来るだけでは、上へは行けない。

東福岡の100名を超える選手たちの中で、監督の目に留まるため、長友佑都というプレーヤーを認識させるためには、短所よりも長所を伸ばすべきだと考えた。自分がピッチで活躍しなければ、未来は開けない。だから、自分を客観的に見て、まずは武器を作り磨く。その後ウィークポイントを克服する作業をすればいい。

誰にも負けない武器が僕にはあった。

走力とスタミナだ。それを磨くにはフィジカルを鍛える必要がある。今までは身長が伸びることを期待し、それを妨げると言われている筋肉トレーニングは控えていた。そもそも成長期にフィジカルを鍛えすぎると怪我をする恐れもある。でも、誰もやらないのなら、あえて、自分のストロングポイントを磨くために鍛えるべきだと考えた。

小さい幸せを積み重ねていく

朝5時に起床。朝食前にランニングなどの自主トレを開始する。8時30分には教室へ行き、放課後は夕方まで部活の全体練習を行い、その後は夜間の自主トレ。無我夢中で練習し続けた。毎日睡眠不足との戦いだった。

ハードな練習をしている運動部の生徒が授業中に寝ることは特別なことではなかったし、僕の教室でも寝ているクラスメイトはいた。でも、僕は絶対に寝ないで頑張った。母さんが必死で働いて授業料を支払ってくれている。そう思うと、寝ることなんて出来なかった。

定期テストの前などは、夜遅くまで勉強もしなくちゃいけないから、ついウトウトしかけたかもしれないけど、必死でこらえた。そのかわり、50分間の昼休みは、数分で昼食を食べ終えて、爆睡していた。

トレーニング方法は本を読んだり、トレーナーの人に聞いたりした。でも基本は「より多く、より重く」という感じ。キツイと感じれば感じるほどプラスになると思っていた。だからこそ、どんどん自分を追い込んだ。とにかく強くなりたかった。怪我をしても「もっとフィジカル鍛えろってことやろ。今の量じゃ足りひんいうことや」とさらにメニューを強化した。

ストロングポイントを磨くという信じた道、信じ切った道を突き進むしかなかった。

僕は豊かな才能を持ったサッカー選手じゃない。だからこそ、人の何倍も努力しなければ、上へは行けない。僕から努力をとったらなにも残らない。

2年生になると、少しずつ、トップチームの試合に絡《から》み始めた。自分の武器を意識するようになれば、監督へのアピールも効果が増す。

身体の強さを見せたければ、1対1では負けないようにする。

スタミナで勝負したいと思えば、走りの練習では常に1番を死守する。

勝負に勝てれば、自信も生まれる。そして、一歩一歩前進出来ているという実感がつかめた。だからさらに追い込んだ。

努力したことで、得られるものは本当にたくさんある。努力の成果はピッチの上だけに現れるものじゃない。たとえば、努力する過程での人との出会いも成果のひとつ。他人から見れば、気がつかないような小さなことであっても「成長出来ている」「良くやった」と感じること、ちっちゃな幸せを積み重ねていくことが大事なんだ。

どんなにハードなトレーニングも、これを達成すれば、前進出来ると思えるから頑張れる。わずかな一歩であっても嬉しい。小さな幸せを意識するからこそ、努力も継続できる。幸せを感じれば、気持ちも自然とポジティブになる。冷静に現実を見つめる力も必要だけど、悲観的な感情はマイナスになるだけだ。

「ありがたいな」と思う気持ち、感謝の心を持つことは、そういう小さな幸せを手にするチャンスをたくさん作ってくれる。成長するために、感謝の心は必要不可欠なんだ。

3年生が引退後の2004年高校サッカー新人大会から僕らの代がスタートする。まだレギュラーではなかったが2月の九州大会でチャンスが巡ってくる。レギュラーのプレースキッカーが体調を崩し、急遽その代役が僕に回ってきた。先発のビッグチャンスに燃えるのは当然だ。コーナーキックから2得点を演出して結果を残せた。

2004年春、宏次郎が東福岡高校へ入学し、麻歩は東京の大学へ進学。母さんは西条でひとり頑張っていた。

今を頑張らなければ明日はない

3年生になった直後、具体的な志望校を提出することになった。大学の偏差値が貼り出された教室後方の掲示板の前で、僕と中村洋太《なかむらようた》は立ちつくしていた。洋太はサッカー部のチームメイトであり2年生のときからのクラスメイトだ。

「行くなら、東京の大学を目指したいよな」

「俺も東京へ行きたいって考えている」

しかし、ふたりが目指したい学校の偏差値は総じて高い。どれほど授業に集中し、定期テストで頑張って来たと言っても、僕の偏差値で簡単に志望校への入学が許可されるとは思えなかった。

将来はマスコミ業界へ就職し、「日本中に自分のメッセージを発信したい」と語る洋太の話を聞きながら自分の未来について考えた。

サッカー部でも高校選手権まで部活を続けるか、夏に引退して進学準備を始めるか、選手たちはその答えを出す時期を迎えていた。怪我をしていた洋太は夏で引退するという。

僕は最後までサッカーを続けたかった。けれど、続けたからといって、たとえ選手権に出たとしても、プロになれる保証はない。実際のところ、高卒でのプロ入りは難しいと思っていた。だったら、受験に切り替えて、より良い大学へ進学することを選択したほうがいいんじゃないかという考えもあった。いい大学を出て、大きな企業に就職し、一日も早く母さんを楽にしてあげたいという思いは、ますます強くなっていたから。

自分たちの代になり、先発として試合に出る機会も増えていた。それは、愛媛を離れてからずっと自分が目指してきた目標のひとつだ。2年間、必死に頑張ってきた結果でもある。確かに受験と部活を両立させるのは簡単なことじゃない。今まで以上に苦しい毎日が待っているだろう。でも、キツイ毎日を過ごすこと、自分を追い込んで成長させることは、きっと人間としてもプラスになるはずだ。

これからどんな人生が待っていようとも、今を頑張らなければ、明日はない。今を頑張ることが出来れば、将来、頑張れる自分になれる。それを中学時代に学んだ。何事にもチャレンジ出来る、そんな人間になりたくて、今まで頑張ってきた。だったら、これからも頑張り続けるしかない。東京の大学の指定校推薦枠に選ばれるように勉強を頑張る。そして、部活も手を抜かずに続ける。僕の答えは決まった。

夏で引退することを決めた選手たちのモチベーションは自然と下がり始める。トップチームで練習していない選手がダラダラやっている姿を見ると、ときどきイラっとすることがあった。もちろん彼らの「どうせもうすぐ辞めるんだし」とか「俺はレギュラーじゃないから」という気持ちもわかる。

それでも同じサッカー部の一員であるなら、最後まで全力で走り切ってほしかった。

「『最後まで諦めずにやろうや』みたいなことを佑都が言ってくれた。自分でもいじけた気持ちになっているのがわかっていたから、ドキッとした。佑都の言葉はサッカーじゃなくて、生き方や姿勢について言っていたから、受験勉強をする上でも、お前の言葉はありがたかった」

高校卒業後、東洋大学に進学し、現在は東京で働いている洋太が当時を振り返る。僕の気持ちが伝わっていたことが嬉しかった。

「東京を目指そう」という共通のビジョンがあったから、洋太がサッカー部を引退してからも、一緒に頑張った。指定校推薦枠が決まる直前の2学期の期末テストは必死だったね。そして、お互いが協力しあい、その枠に滑り込んだ。

「無事に東京へ来られたな」

晴れて大学生になった春、渋谷で一緒に食事をしたとき、洋太も母子家庭で育ったことを知った。僕も家族の話をそのとき初めて告げた。

「東京の大学へ行って、大きな会社に入って、母さんを楽にしたい」

僕たちの思いは高校のときから、「同じだったんやな」とふたりで笑った。

現状に満足していたら成長出来ない

中学時代は雲の上の大会だと思っていた全国大会への出場は、東福岡にとっては当然のこと。重要なのはいかに全国で結果を残せるかだった。しかし、全国の舞台はとても厳しく、なかなか結果が出せなかった。いい戦いが出来ても、勝利がつかめない。勝つことの難しさを学んだ。

そして、２００５年1月高校選手権が始まる。

僕ら東福岡は、シード校として2回戦から出場した。

1月2日、相手は選手権4度の優勝実績がある市立船橋《いちりつふなばし》高校。数多くのＪリーガーや日本代表を輩出する名門校だ。会場の市原臨海競技場には1万３５００人の観客が集まっている。そんな大観衆の前でのプレーは初体験。しかもアウェーと言ってもおかしくはない状況。でも小学生のころから、夢見てきた舞台に赤いユニフォームを着て立っている。ドクドクとアドレナリンが出てくるのがわかる。

1－1で前後半戦を終え、試合はＰＫ戦へともつれ込んだ。5人が蹴っても決着がつかず、東福岡6人目の選手が蹴ったボールを相手ゴールキーパーがセーブし、ゲームセット。

僕の高校サッカーが終わった。


この日は母さんと麻歩もスタンドへ応援に駆けつけてくれた。もちろん宏次郎もいる。長友家4人がそろう貴重な機会だったが、勝利を捧げることが出来なかった。

「母さん。今まで本当にありがとう。僕はこんな大きな舞台に立てて、母さんに感謝しています」

試合後、そんなメールを母さんへ送った。今思えば、なんか照れくさいし、恥ずかしいような内容だけど、試合に負けたあのとき、僕の胸を占めていたのは感謝の気持ちだけだった。もちろん試合に負けた悔しさもある。でも、そんな思いが出来るのも、東福岡でサッカーを続けてられたからこそ。とにかく「ありがとう」と伝えたかった。

その後、明治大学への入学が決まった僕は、大学でもサッカー部でサッカーを続けようと思っていた。プロになる夢はまだ捨てきれない。サッカーを諦めることは出来なかった。プロ入りが内定している同級生もいた。でも、僕はそのことを羨《うらや》ましいとか、なんで自分はプロへ行けないんだと、思うことはなかった。

確かに高校時代、誰よりも努力し、頑張ったという気持ちはある。その月日はプロ入りという結果につながらなかったけれど、後悔はない。

3年間、サッカー選手、アスリートとしてだけじゃなく、人間としても成長出来たという確信があった。精神的にも大人になり、強くなれた。

故郷にいる人たちには、頑張っている自分しか見せたくなかった。ヘボい自分は絶対に見せられない。だから極限まで追い込んだ。眠たくてしょうがなくても、早朝から深夜まで自主トレを続けた。

「しんどい」とか「もう限界だ」とか、自分の甘えに押し流されそうになることもあった。でも、弱音なんて吐けない。あんなタンカを切って、出て来たんだから。みんなの手紙を破り、腹をくくったんだから。弱音を吐ける状態じゃない。まだまだ頑張れるだろうと、自分で叱咤激励しながら、逃げ道をふさぎ、決めた道を歩き続けた。

そして、頑張れる自分を貫いた。

キツイ思いをして乗り越えてきた日々があるから、これから先、何があっても大丈夫だという自信が僕の中に漲《みなぎ》っていた。

もう一度やれと言われても戻りたくはない。それほど自分を追い込んだ3年間。でもだからこそ、価値のある3年間を過ごせた。

実は、高校を卒業後、母さんのお父さんのように競輪選手になることも考えた。お祖父ちゃんの弟や母さんのいとこから、競輪の話を聞く機会もあり、そのときにお祖父ちゃんの話をいろいろ聞かせてもらった。お祖父ちゃんは僕らが西条へ来た翌年に亡くなっていたから、とても新鮮だった。

「現状に満足していたら、上には行けない。成長出来ない」

生前お祖父ちゃんがよく言っていた言葉を知り、嬉しくなった。

高校の3年間、ずっと僕が信じてきた気持ちと同じだったから。お祖父ちゃんが僕を導いてくれたのかもしれないと思った。

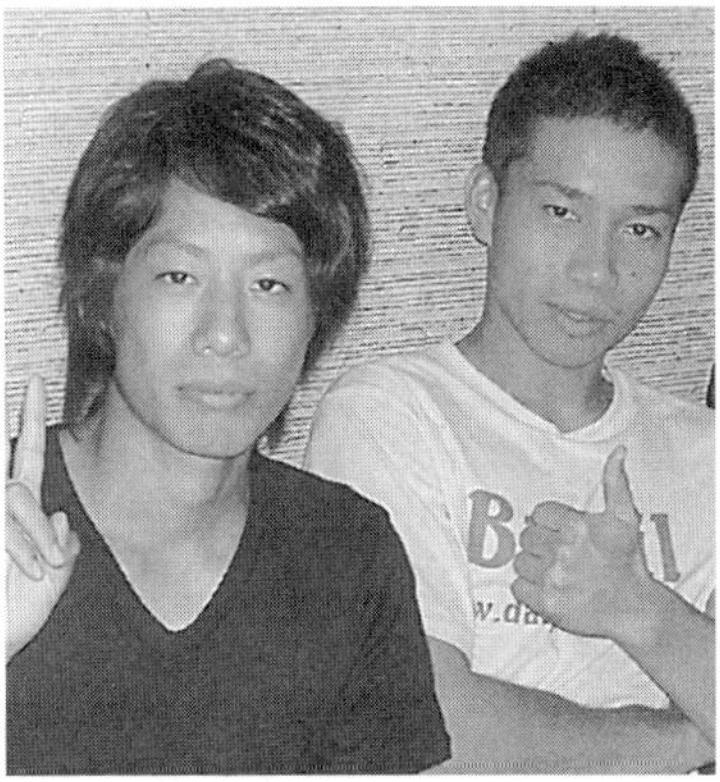

第4章 切磋琢磨

腰痛との長き戦いのはじまり

桜の柔らかい色で染められた千鳥ヶ淵を眺めながら、坂道を登る。大都会東京というイメージとはかけ離れた穏やかな風景に目を奪われる。周りを見渡せば、新調したばかりのスーツに身を包んだ人たちの笑顔が溢《あふ》れていた。そしてその一員である僕も着なれないスーツのせいか、背筋が自然と伸びる。２００５年春、明治大学の入学式は九段下の日本武道館で行なわれた。

愛媛を旅立ち、福岡を経由した挑戦の旅は、東京という新しい舞台へと移った。同級生たちの顔は期待に輝いている。もちろん僕もこれからどんなことが待っているのか、まったく想像がつかないけれど、不安はなかった。

東京への進学を望んだのは、すでに1年前から上京していた麻歩《まほ》と同居出来るから。姉弟が一緒に暮らせば母さんの負担も軽くなると考えた。そんなふたりは三鷹台《みたかだい》で新生活をスタートさせた。

指定校推薦で入学した僕は、春休み中に参加した東福岡高校入学時とは逆に、入学式が終わってからサッカー部の練習へ参加した。

「東福岡高校から来ました長友佑都です」

東福岡の先輩に紹介されて神川明彦《かみかわあきひこ》監督に挨拶《あいさつ》したとき、監督は少しあきれたような顔をしていた。

明大サッカー部は1921年の創部以来、大学サッカー界のタイトルを幾つも獲得し、たくさんのOBが日本のサッカー界で活躍している。そんな名門校でのプレーを望む新入生の多くが春休みから練習に参加していたから、4月に初参加した僕は遅れをとっていた。明大体育会サッカー部は、誰もが所属出来るわけじゃない。1学年20名弱の少数精鋭である。1学年の在校生が7000人もいることを考えれば、狭き門だ。僕ら1年生は1カ月の練習参加のあと、部に残れるかどうかが判断される。

新入部員候補には、全国大会常連校やJリーグの下部組織出身者も多く、スポーツ推薦で入学した選手はすでに入部が決まっている。しかし、指定校推薦の僕はまだ、サッカー部の一員になることすら決まっていない。先生があきれた顔をしたのも理解できる。

無事にサッカー部への入部が許された僕の起床は毎朝5時。部の朝練習が早朝6時から始まるからだ。三鷹台の自宅から、八幡山《はちまんやま》にあるサッカー部の練習場まで約6キロの道のりを自転車で向かう。途中のコンビニエンスストアで買ったパンやおにぎりを片手にペダルをこいだ。

2時間くらいの練習が終わると、今度は学校へ向かう。政治経済学部の僕は1、2年生の間は永福《えいふく》にある和泉《いずみ》キャンパスだったので、ここも約4キロの道のりを自転車で走る。授業が終わればまた、八幡山へ戻った。

政治経済学部を選択したのは、卒業後の就職を考えてのことだった。

高校時代と違い、何時間も授業で拘束されるわけじゃない。しかし、井上先生のような中学校の社会科の教師になる道も考えていた僕は、教職がとれるカリキュラムを選択していたので、自然と授業数が増えた。もちろんサッカー部の練習のレベルも高くなり、厳しい毎日が続いていた。

しかし、そんな毎日すら送れなくなる。入部早々、椎間板《ついかんばん》ヘルニアによる腰痛が発症したのだ。腰椎間にある椎間板がはみ出し、神経を圧迫することで痛みが生じるのが椎間板ヘルニアだ。

はみ出した部分（ヘルニア）を切り取る手術もあるが、アスリートにとって身体にメスを入れるのは大きな決断だ。休養をとり、安静にしておけば、痛みも軽減される。まれに、ヘルニアが体内に吸収されて完治することもあると聞いた。骨折などのように全治までの時間がわからない、厄介《やっかい》な相手だが、とにかくつきあっていくしかない。

数カ月、チーム練習から離れ、リハビリを続けた。

高校時代も怪我の経験はあった。だから、ボールを蹴りたいと思っても我慢する気持ちの重要性は理解していた。焦《あせ》ってはダメだ。でも何日も何週間も、サッカーが出来ない生活は辛《つら》い。ピッチを走り、汗を流す同級生たちの姿を見ていると、「自分はなにをやっているんだ。勝負の舞台にも立てないじゃないか」と焦燥《しょうそう》にかられる。

だから少しでも痛みが軽減すれば、練習へ復帰した。しかし、しばらくすると、また痛みが再発する。何度も何度もそんな繰り返しが続いた。「無理をしちゃダメだ」と考えながらも、やはりプレーしたいという思いは募る。キツい練習であってもかまわない。レギュラー争いという戦場に立ちたいと心底願った。

第3者の声を聞く重要性
～サイドバックへの挑戦～

「お前は無名の選手だったからな」

遅れて練習に参加した新入部員の僕のことはあまり印象に残っていなかったと神川監督は当時を振り返って笑う。

そんな監督が僕に目を留めたのは、1年生秋ごろだったと思う。4年生が引退し、新チームを立ち上げる直前だった。

「ちょっとみんなの前で1対1やって見せてくれ。みんな長友を見るんだ。コイツは1対1の練習ではいつも誰にも負けないぞ」

1対1は自分の武器のひとつだと考え、練習から負けないことがアピールにつながると思っていたので、監督に褒められたような気がして、嬉しくなった。

そして、翌日の紅白戦で、監督は僕をサイドバックへコンバートする。

小学生時代のフォワードから始まって、攻撃的ミッドフィルダーや高校時代には守備的ミッドフィルダーでもプレーしていた。しかし、サイドバックの経験はない。初めてのポジションでプレーした紅白戦は、うまくいくはずもなく、僕は落ち込んだ。

「サイドバックなんて出来るわけないよ」

守備的ミッドフィルダーでプレーしていたと言っても、守備に絶対の自信があるというわけではなかった。どんな風にプレーすればいいのか、まったく見当がつかない。攻撃に参加しても、いつどのようにパスを出し、クロスボールを上げるのか、オーバーラップのタイミングすらわからない。

当時の僕にとってサッカーの魅力は攻撃だ。なのにそのイメージすら描けない。やっぱりサイドバックはやりたくない。ある決断をした。

「たとえ、Iリーグ（インディペンデンス・リーグ。トップチームではない選手や体育会ではないサークルが参加する大学リーグ）でプレーすることになってもいいから、監督に『サイドバックはやりたくない。僕はサイドハーフとか攻撃のポジションがやりたい』と直訴しよう」

当時は、先発ではなかったが、トップチームの一員としてプレーしていた。監督の指示を覆すような直訴は、部内でも異例中の異例だ。その結果、2軍へ落とされてかまわないと覚悟する。そして僕は監督に自分の気持ちを告げた。監督はなにも言わなかったけれど、僕の気持ちは伝わったと思っていた。

「今日の紅白戦のメンバーを発表する。サイドバックは長友……」

次の日の練習。監督は昨日の僕の直訴など、まったくなかったかのようにサラリと僕の名を発表した。

「もうやるしかないな」

ピッチへと歩きながら、新しいポジションを受け入れるしかないと腹をくくった。その後、一度はIリーグへ落とされたけど、経験を積むにはいい環境だった。そして、12月トップチームの練習試合で先発出場。試合は1－0で勝利する。

もしも、あのとき監督が、「わかった。そんなにイヤならサイドバックへのコンバートは諦める」と僕の直訴を受け入れていたとしたら、今の僕はいないと思う。走力、スタミナ、1対1の強さ、身体能力の高さという僕の武器を活かすサイドバックへ起用してくれた監督には、本当に感謝している。

自分の気持ちや決意、信念を貫き通すことは大切だ。でも、第3者の客観的な目、言葉に耳を貸すことも同じように重要なんだ。周囲の人の声を聞き、そのうえで、考えて決意する。考え方が違うとか、わかっていないと耳をふさぐのは、もったいないことなんだと、この経験を通して僕はそう思うようになった。

そして、出来ないと決めつけるのではなくて、まずはやってみる。挑戦することで、新しい可能性が広がるということも学んだ。

確かに最初は戸惑《とまど》ったし、手探りの状態から僕のサイドバックでのプレーは始まった。けれど、そのポジションが自分の武器を活かせる場所であることを理解するのに時間はかからなかった。だんだん面白くなってくる。

「サイドバックと言えば、相手のサイドの選手との1対1の攻防がポイントだから、対人プレーに強ければいいだろう」

そんな風に考えていたが、それだけでは通用しないこともすぐに思い知った。そこからは先輩のプレーを見て盗んだし、周りを活かし、周りに活かされるサイドバックとしての重要なプレーが出来るよう、チームメイトともよく話をした。新しいポジション、仕事についたことで、今までとは違った目でサッカーを見るようにもなった。それは今まで知らなかった面白さを発見する機会だった。

最初はやりたくなかったサイドバックだが、やると決めたら、積極的な気持ちで取り組んだ。そうでなければ、成果も得られない。難しい挑戦になるという思いもあった。ネガティブな感情や現実は、「この困難をぶち破ってやる」というパワーが消してくれる。ネガティブな壁があるなら、それにぶつかり、立ち向かっていきたいという気持ちが自然と湧《わ》き出てくる。しかし、闇雲《やみくも》に壁にぶつかっていくわけじゃない。

「どうすれば、この壁を一番短い時間で越えられるのか」をまず考える。

自分にはなにが足りなくて、なにを強化するべきか。自分のどの部分を活かせるのか？

どうすればサイドバックで輝けるのか？

そういう思考の時間を経て、準備した上での努力があったから、いち早くサイドバックというポジションを長友佑都の色に染められたんだと思う。

2006年に年が変わり、トップチームでのレギュラー定着のチャンスが目の前に来ていることを実感する毎日を過ごしていた。

春から始まる新しいシーズンへ向けて、気持ちが高まった。

メンタルが変われば行動も変わる、プレーも変わる

ドン‼　腰に鈍い痛みが走る。ヘルニアの再発だ。

「なんでやねん。大人しくしとけやッ」

サイドバックへ転向し、手ごたえをつかめていた矢先の出来事だった。またリハビリ生活へ戻らなくちゃいけない。落ち込むというよりも苛立《いらだ》ちのほうが大きい。一向に回復しない痛みに、自分の身体にイラだった。

「もうええわ、俺はどうせもうサッカーできひんねん」

自暴自棄のような気分になっていた。

そんなある日、主将の金大慶《キムテギヨン》さんにミーティングルームへ呼び出された。2年生になる前の春休みだったと思う。

「佑都。お前に頼んだこと、やってないだろ」

1年生はグラウンドの整備や寮の掃除、ボール磨きなど、部活動をサポートするさまざまな雑用をやらなくちゃいけない。それはリハビリ中でも同じだ。なのに、僕はその仕事をサボってしまったのだ。

「ヘルニアが再発して、大変なのはわかってる。でも、やるべきことをやらない選手を俺は黙って見逃すわけにはいかない」

「すみませんでした」

僕は頭を下げて、部屋を出た。

「お前、ちゃんとわかってないだろ‼」

大慶さんが怒鳴りながら、走ってくる。そして僕は殴られた。チームメイトが間に入って止めてくれた。

大慶さんは、僕が口先だけで謝ったことを見抜いていた。心の底から申し訳なかったと思っていないことを感じとったに違いない。実際、「なんで怒られなアカンのや」という気持ちが僕の中にはあった。殴ることないやろと、最初は思った。

でも、家に帰り、気がついた。

「なんのために僕は東京へ来たのか。こんなことも乗り越えられへんようでは、愛媛のみんなにあわす顔はない。ヘルニアに負けてどないすんねん。誰にも負けへんと言うてたやないか」

もう少しで、中学に入学したときのように現実から逃げるところだった。

同じ現実に直面したとしても、気の持ちようでいろいろなことが変わってくる。

ヘルニアでサッカーが出来ないことで、「なんで俺だけがこんな大変な思いをしなくちゃいけないんだ」と考えれば、すべての行動が投げやりになるだろうし、そうなれば中途半端な結果しか得られない。もしくはなにも得られない。そして、周囲へも負のオーラを放ってしまう。

だけど「プレーは出来ないが、チームのためにやれることに全力を尽くそう。出来ることは手を抜かない」と、前向きに考えれば、自分の中のネガティブな思考は消えるし、自然と充実した毎日が過ごせる。

殴られたからこそ、僕は目が覚めた。

2年生になっても痛みは治まらない。

サッカーが出来ないだけでなく、普段の生活にも支障をきたすようになる。自転車で練習場へ行くことさえ大変で、歩くことも、苦痛を伴う状態だった。このままでは、プロのサッカー選手になるという夢を叶《かな》えるどころの話じゃない。社会人として暮らすことすら、難しいんじゃないか。

高校時代から、フィジカルを鍛《きた》えてきた。身体にいい影響を与えないと聞けば、炭酸飲料水を飲むことも出来るだけ避けたし、インスタント食品やカップラーメン、ファストフードも極力食べないように気を配った。それでも、僕は腰痛で動けない。激痛に耐えながらベッドから起き出すたび、大きなため息をついた。

当時明治大学のチームトレーナーの芝田貴臣《しばたたかのり》さんはつきっきりで深夜まで身体をほぐしてくれた。治療にあたってくれるドクターから、いろいろな情報を集めた。椎間板ヘルニアはアスリートだけでなく、多くの人が悩まされる症例だが、そのぶん、治療の方法もたくさんあり、なにが自分に最適なのか、考える必要もあった。治療法の多さは、決定的な治療法がないことをあらわしている。

そして、手術は避けたいという考えは変わらなかった。

そんな思いの中で、出会ったのが〝体幹を鍛える〟という方法だ。体幹筋と呼ばれる、胴周りにある腹筋、背筋、腹横筋など、たくさんの筋肉を強化することは、ヘルニアの発生を防ぐだけでなくプレーへもいい影響を与えてくれる。もちろん、高校時代から体幹強化の重要性は知っていたし、自分なりに鍛えてきた。しかし、それだけでは足りない。もっともっと強くしなければならないということだ。

「一生もんの体幹を作らなアカン」

そう心に決めていた僕は、慎重にトレーニングを続けた。それはじれったい思いとの闘いでもあった。

ヘルニアの状態を見ながら鍛える。それは意外と面倒なトレーニングだった。急激にハードなメニューをこなすと、悪化する可能性もある。焦りは禁物。もっとやれるんじゃないかと追い込みすぎては逆効果になる。

同時に日々の生活への細かい気配りも必要だ。食事は、さまざまな食材をバランスの良く食べるだけでなく、食べるタイミングも重要だと知った。規則正しい生活、効果的な眠り方、入浴方法、入浴後のストレッチ……ひとつひとつは小さなことであっても、それを継続し、習慣へと変えなければ、効果はない。同居していた姉に品数の多い食事を作ってもらったり、ストレッチを手伝ってもらったりと協力してもらった。

試合に出られないだけでなく、チームメイトと練習することも出来なかったが、明大サッカー部の一員としての誇りや自覚は失わなかった。

試合の日には駐車場で車の整理の仕事もやった。スタンドで後輩たちと一緒にピッチで戦う選手を応援した。

「君、本当に太鼓をたたくのがうまいよね。アントラーズのゴール裏で太鼓をたたいてもらえないかな」

スタンドで太鼓をたたいているとき、鹿島アントラーズのサポーターに誘われたこともあった。子どものころお祭りのときにたたいていた和太鼓の経験がかわれたみたいだ。母さんに言わせると宏次郎《こうじろう》も太鼓をたたくのが上手だというから、長友家はリズム感のいい家系なのかもしれない。

いくらチームのためと割り切っても、心の底に潜んだ悔しさが消えるわけじゃなかった。

スタンドで太鼓をたたき、声をあげて応援しているとき、ピッチの選手がつまらないミスや気持ちの入っていないプレーをすると「なにやってんねん‼」と大声で怒鳴った。逆に闘志溢れるプレーを見せるチームメイトを頼もしく思うこともある。

スタンドで応援した経験は、プロになってからも忘れられない。スタンドで声援を送ってくれるサポーターの気持ちと当時の僕の気持ちが重なる。だから、試合前後には必ず彼らのもとへ挨拶に行く。声援への感謝の思いだけでなく、「一緒に熱くなろう」「共に闘ってくれてありがとう」という気持ちを込めて、手を振り、頭を下げる。そして、心をこめてプレーする。たとえタッチを割りそうなボールであっても全速力で追いかけ、一瞬たりとも気を抜かない。応援してくれる人たちに戦う気持ちを届けるプレーをしなくちゃいけない。それがピッチに立つ者の責任であり、任務だ。

そういうことをスタンドで応援しながら僕は学んだ。

ここで頑張ったら違う世界が待っている

リハビリは初夏になっても続いていた。

愛媛の井上先生からも「大丈夫か」と励ましの電話をもらったこともある。

「今はキツイけど、ここで頑張ったら違う世界が待っているはずだから。俺はここで終わるような人間じゃないけん」

明るく応えた。毎日毎日、そう考えて暮らしているから、ポジティブな言葉はいくらでも口に出来る。でも、正直なところ、前向きに生きていくのは簡単なことではなかった。

体幹を鍛えるという出口らしきものは見えたけれど、一朝一夕で強くなるわけじゃない。痛みも弱くなったり、強くなったり……。懸命なトレーニングを続けているが、ぐるぐると同じ場所を回っているだけなのかもしれないと、弱気になることもあった。

でも、やめるわけにはいかない。絶対に乗り越えてみせる。

努力は無駄にはならないし、努力は裏切らない。必ずむくわれるときが来る。この頑張りによって、僕は絶対に成長している。今はまだその成果がわからないけど、将来きっと「あのときの苦しみが今に活きている」と思える日は必ず来る。

なかなか泥沼から抜け出せない状況もまた人生だ。でも、苦しければ苦しいほど、成長出来ると信じている。そういうときこそ、チャンスだと思っている。

神様は乗り越えられる試練しか与えない。

だから、突破口を必死で探す。漠然と毎日うまくいかないなぁと思っているだけでは、解決はしないし、壁も越えられない。

いろいろとリサーチしながらトレーニング方法を模索し、ヘルニアと闘った。


太陽の日差しが強くなり、厳しい暑さの中、僕は復帰した。2006年夏だった。復帰戦となった練習試合は、プレー出来る喜びと共に、失ったレギュラーポジションを取り戻したいという闘志に溢れていた。

そして、秋。関東大学サッカー後期リーグが始まる。長友佑都の名は、スタメンの右サイドバックに記されていた。


10月法政大学戦。先発出場した僕は、途中でベンチへ下げられた。大学時代の途中交代は、唯一この試合だけだ。

試合開始から身体がよく動いた。気持ちにも余裕があった。しかし、行けるぞという手ごたえが油断を生んだ。簡単にパスを出すべき場面で、ボールを持ちすぎ、相手に奪われた。そのプレーが失点につながる。「やってしまった」という後悔、犯してしまったミスを取り返したいと躍起になればなるほど、プレーは空回り。途中交代は妥当な采配だった。

サッカーにはミスはつきものだ。判断ミス、単純なプレーでのミス、意思の疎通がうまくいかずチームとしてミスを犯すこともある……ミスは必ず起きる。そして、ディフェンダーのミスは致命的なダメージをチームに与えるリスクもある。90分間、ミスなしでプレーすることは不可能に近いのかもしれない。慎重なプレーを選択してもミスは起きるし、事故のような失点もある。逆に慎重なプレーは消極性を生み、そうなればプレーの質は必ず低下する。

重要なのはなにが起きても平常心でいることだ。ミスを受け入れ、気持ちを切り替えて、やるべきプレーを精一杯行う。どうしてもミスは起きてしまう。大切なのは同じミスを繰り返さないという決意と姿勢なんだと、僕はこのとき思った。

その後、後期リーグはすべての試合に先発フル出場することが出来た。

本気でぶつからなければ課題はわからない

「ホンマに僕も選ばれたんですか?」

神川監督はなにも言わずに一枚の紙を手渡してくれた。ズラッと並んだ選手名の中に、自分の名前を見つけても、まだ信じられない。

２００６年冬、法政《ほうせい》大学の本田拓也《ほんだたくや》、早稲田《わせだ》大学の鈴木修人《すずきしゅうと》、兵頭慎剛《ひょうどうしんごう》、流通経済《りゅうつうけいざい》大学《だいがく》の鎌田次郎《かまたじろう》……。リストには大学サッカー界の有名選手ばかりが名を連ねている。それもそのはずで、それは全日本大学選抜チームのリストだった。

翌年の２００７年夏にバンコクで行われるユニバーシアード大会へ出場する代表候補合宿へ僕は招集されたのだ。

ユニバーシアードは2年に1度行われる大学生のオリンピックと言われる世界大会だ。日本は4回優勝している。大学生という限定だが、日本代表であることに違いはない。日の丸をつけることが許されるグループだ。

「マジで、こんなチームでプレーしてもええんか？」

合宿へ行っても、興奮は収まらない。チームメイトの顔を見れば、興奮度はさらに高まる。しかしエリート選手たちの中で、無名の僕に緊張感はなかった。逆に燃えた。

「こんなチャンスはそうそうあるもんじゃない。絶対にこのメンバーに残って、ユニバーシアードに出場してやる」

2007年3月、全日本大学選抜チームでのフランス遠征に参加した。日の丸を背負っての国際試合はこれが初体験だ。

フランスではフランスリーグの強豪マルセイユとの練習試合があった。相手はBチームとはいえ、身体能力が高いアフリカ系の選手も多い。ヘルニア予防のために始めた体幹強化は、試合に出るようになってからもずっと続けている。自分のフィジカルを試す場としては最高の舞台だ。

「絶対に負けない」

小学、中学、高校と抱き続けていた同じ思いでピッチに立った。外国人相手だろうと負けたくはない。100％の力を発揮し、本気でぶつからなければ相手との差、自分の力は確認できない。

ガツン。試合開始早々から、欧州リーグ特有の強い当たりを身体に感じたが、僕の身体はそれに耐え、逆に相手を跳ね返す場面もあった。

「結構やれるやん」

1対1でも負ける気はしなかった。そして、この試合で僕はゴールを決める。しかもかなり難しいシュートをゴールへ蹴り込んだ。

「いつか、欧州でプレーしたい」

そんな思いも一瞬、頭の中をよぎったかもしれないが、よく覚えていない。ただ、大きな自信を得られたことは事実だ。そして、プロという夢が現実的な目標に変わった。

チャンスをモノにしても満足はしない

帰国後FC東京のサブチームとの練習試合に出場した。

FC東京の左の攻撃的ミッドフィルダーは、俊足が武器のブラジル人リチェーリ。まだ20歳と若く、怪我がちだったが、それでも一瞬のダッシュ力はJリーグでも高い評価を得ていた。

「こいつを抑えたら、すっごいアピールになるんちゃうか」

これまでもJリーグのクラブとは何度も練習試合を行っている。ただフランス遠征を終え、本気でプロを目指そうと考えていた僕にとって、この試合は大きな転機となる。

45分ハーフが2本行われた試合。僕はガツガツ、リチェーリをマークした。身体をぶつけ、やりあった。あまりに僕がしつこいプレーをしたせいか、リチェーリがイライラし始めていることがわかった。

「もっともっとマークしてやれ」

相手が平常心を失えば、絶対に好機が来る。突き飛ばされても「なんやねん‼」とやり返す。サイドの攻防はまるでケンカみたいな激しさだった。

「明日から、練習に参加してみないか？」

試合のあと、FC東京のスカウトの石井豊《いしいゆたか》さんから、声をかけられた。

石井さんは明治大学サッカー部のOBでもあったから、大学の試合へも何度も足を運んでくれていた。そのレポートはFC東京の強化部へも報告され、当時の原博実《はらひろみ》監督へも情報が伝わっていた。

そしてこの練習試合で、僕のプレーを確認したFC東京は、僕の練習参加を決めた。

日本代表のキャプテンだった中澤佑二《なかざわゆうじ》さんは、ヴェルディ川崎との練習試合で活躍したことをきっかけに練習生となり、その後プロ契約を結んだ。高校卒業後ブラジルへ留学。

帰国して、何度もプロテストを受けたが受からず、卒業した高校で練習していたときのことだ。その話を聞いたとき、「僕も中澤さんのように這い上がっていくしかない」と感じたことを覚えている。

そして、大学3年生になった僕の目の前でチャンスの扉が開いた。

練習参加は2日か3日で終わった。プロの練習時間は短い。だいたい2時間くらいで終了する。アップ時間も含まれているので、実際ボールを蹴るのは1時間ちょっと。アップメニューのジョギングから全力で取り組んだ。もちろん、アピールしたいという気持ちも強かったが、同時にこの練習参加は自分の足りないところを見つけるチャンスだとも考えていた。レベルの高いプロという環境での練習は、多くのことを吸収できる機会だ。中途半端な気持ちでのぞんだら、なにひとつ得るものはない。

5月1日、僕はFC東京のJFA・Jリーグ特別指定選手に認定された大学のサッカー部に席を置きながら、FC東京で試合出場も可能になる。特別指定選手からプロ契約を結ぶ選手も多い。でも、僕にはプロ入りへの大きな一歩を踏み出したという満足感はなかった。ここからまた新しい勝負が始まると気持ちを引き締めた。

U－22代表は翌年開催される北京五輪のアジア予選を戦っていた。すでに2次予選突破を決めていたこともあり、反町康治《そりまちやすはる》監督は消化試合となる6月6日のマレーシア戦では、主力選手を起用せず、新しい選手を試したいと考えていた。その試合のベンチ入り18名の選考合宿に僕は招集された。5月29、30日の合宿に集まった22名の候補のうち7名が初招集。大学生は僕と鈴木修人の2名だけだった。

合宿初日は流通経済大学との練習試合だった。前半3バックのときは右の攻撃的ミッドフィルダーとしてプレーした僕は、後半4バックになるとサイドバックでプレーした。

「U－22代表選手としてのプライドに賭《か》けても、絶対に負けたくない。大学生とは違うところを見せなくちゃいけない」

強い意気込みで試合にのぞみ、思う存分プレーした。

半年前、全日本大学選抜チームへ呼ばれたときとは違う気持ちで合宿に挑んだ。あのときに比べたら、まったく興奮はしていない。

「大学生だからといって、なめられたくない。こんなチャンスは何度も訪れるものではない。無駄にしてたまるか」

そんな熱い思いがあったからこそ、逆にとても冷静になれた。

北京五輪アジア2次予選マレーシア戦。右サイドバックとして先発出場を飾った僕は、ヘディングで先制ゴールを決める。そして後半にはペナルティエリア内でファウルを受けて、PKを獲得。3点目につなげた。

初めての国立競技場。観客は18020人。満員ではなかったが、代表のユニフォームを着て、君が代を歌うには最高の舞台だ。

家族、井上先生をはじめとしたお世話になった方々、そしてチームメイトたちのことを思いながら歌った。

「みんなのおかげで、俺はこの舞台へ立てた。ありがとう。でも、恩返しをするのはこれから。待っててや」

大きなチャンスで結果を残せたことに嬉しさはあった。しかし、U-22代表にはこの試合に招集されなかった〝主力〟選手がいる。

「クロスの精度や判断の速さは課題。今日は10点満点中6点くらいですね」

試合後そうコメントを残した。喜んでばかりもいられない。本大会までの1年間、昇らなくちゃいけない階段は決して短くはない。それでも僕は挑戦する。這い上がってみせる。そして、オリンピックの試合に出る。

自分のスタンスにブレはないか確かめながら昇っていく

7月にはFC東京の選手としてナビスコカップ準々決勝戦で、途中出場ながらプロ公式戦でもデビューを飾れた。

サイドバックへ転向してから1年半。怪我との戦いを経て、ユニバーシアード、U－22日本代表、そしてFC東京でのJリーグと、僕の立つステージは、どんどんとレベルアップしていく。それと同時に新しい目標が次々と生まれた。

周りの環境が急激に変わっても、僕自身に迷いも戸惑いもなかった。懸命にトレーニングする日々に変化はない。U－22代表合宿でも自分のペースを崩さなかった。風呂に入れば、念入りにストレッチをし、体幹強化のメニューも欠かさず行った。

高いレベルへ行けば行くほど、自分の足りないところが見えてくる。足りないところを補う作業を急ピッチに進めなければ、目標には届かない。

今日一日を妥協せずに過ごすこと。

自分のスタンスにブレがないかを確かめながら、階段を昇る。


8月上旬。タイのバンコクで行われるユニバーシアード大会のメンバーに選ばれた。しかし、またしてもここで椎間板ヘルニアが再発。最後の試合に15分出場しただけで、初めての世界大会が終わる。4大会連続優勝を目指したチームも準々決勝でイタリアに敗れ、5位という結果だった。


東京へ戻り、約2カ月間リハビリが続く。9月には北京五輪アジア最終予選も始まっていた。FC東京の練習にも参加ができない。

体脂肪率5%にまで鍛え上げたというのに、どうしてまた痛み出すのか?

U－22代表にも選ばれ、プロ入りへの思いも固まった。しかし、この腰ではプロ生活が送れないんじゃないかという不安が再び頭をよぎる。

大学の同級生たちの中には、就職活動を始めている人もいるのに、僕の未来は見えない。

いったいどうすればいいんだろう。

井上先生のような教師になることも考えて、大学1年生のときから、教職試験に必要な単位も取得してきた。部活との両立は大変だったけれど、やり通した。井上先生が勤めている中学校で教育実習をさせてもらう手続きも行っていたが、U－22代表候補に選ばれ、実習はできなかった。

「僕も企業訪問とか、就職活動を始めたほうがええんとちゃうか」

そんな自分の弱気にがっかりし、「まだまだ俺のメンタルは弱い」と痛感する。

思い返してみれば、マレーシア戦のときも、「こんな大舞台でミスしたらどうしよう」とビビっていた。プロで闘うメンタルが出来ていない。だから、10月末に試合復帰したあと、11月にU－22代表に選ばれたもののベンチ外メンバーだったことは、当然と言えば当然なのかもしれない。

もっと鍛えなくちゃいけない。身体も技術も、そして精神面も。

そんな風に感じていたとき、ＦＣ東京からプロ契約のオファーをいただいた。大学卒業後ではなく、来年２００８年シーズンから契約したいと言ってくれた。

特別指定選手ではなく、正式にFC東京と契約を結べば、明大サッカー部を辞めなければならない。共に戦ってきた仲間を置いて、新しいチームへ行けるのか？　腰への不安もあったけれど、なによりそのことで悩んだ。

それでももっと自分を磨かなくちゃならないと強く自覚していたし、北京五輪出場という目標のことを考えるとJリーグという高いレベルで日常を過ごさなくてはという気持ちも強い。プロへ行きたいという思いは消えない。

「お前はFC東京へ行ったほうがいい。なにを悩んでいるんだ。お前がプロへ行くことは、日本サッカー界のことを考えたら当然のこと。僕らだって嬉しいよ。お前が決めたことなら僕らは応援する」

神川監督や井澤《いざわ》千秋《ちあき》総監督、そしてチームメイトが僕の背中を押してくれ、プロ入りを決断した。

「練習参加させたときから、北京五輪のこともあるし、4年生のときにプロ契約が結べればいいと神川監督と話していたんだ。佑都は勉強も頑張っていたから、3年生までの間にほとんどの単位がとれていたことも有利に働いたんだよ」

プロ入り後、石井スカウトがそう打ち明けてくれた。監督の思惑どおりだったわけだ。

関西大学へ進学した宏次郎と共に大阪で生活を始めていた母さんに報告の電話をかける。

「母さんは佑都が決めたことが正しいと思ってる。でもひとつだけ、お願いがあるんよ」

「わかってる。大学は辞めへん。ちゃんと卒業するから」

「なんや。佑都は母さんの気持ちわかってんねんな」

「そんなん当たり前やろ……ありがとう、母さん」

母さんが必死になって働いて通わせてくれた大学を卒業するのは当然だ。

それ以上話すと涙が流れそうだった。だから電話を切った。

「ホンマに今までありがとう」

心の中でそう何度も繰り返した。

第5章　試行錯誤

自信は成長のために欠かせない

「プロとして戦えるメンタルがまだ出来ていない」

大学生のまま特別指定選手として、FC東京で活動していた2007年に抱いた自分のウィークポイントを意識しながら、2008年プロとしてのシーズンをスタートさせた。

もちろん精神面以外でも足りないところは多い。

自分の弱さを理解したうえで、「なにをすればいいのか？」と考えたとき、行きついたのは「ストロングポイントでは、絶対に負けない」というシンプルな答えだった。

プロとしてのスタートは自信満々で切りたかった。

何事もスタートダッシュは競争を勝ちぬくために重要なポイントだと思う。

最初にどんな第一印象を与えるかで、その後の評価も違ってくる。もちろん最初だけが良ければいいというわけではない。大きすぎるファーストインパクトをなかなか超えられず、苦労する選手もいると思う。でも、最初の一歩でなにかをつかめれば、勢いにも乗れる。なによりも自信がつく。そして自分の武器が通用するとわかって、そこから「もっと、もっと」と追い込んでいけば、伸びる。

ＦＣ東京は、僕が加入したこのシーズンから城福浩《じょうふくひろし》監督が就任していた。開幕スタメンという目標達成のためには、新監督へのアピールは重要だ。しかし、僕はＵ－23日本代表のアメリカ遠征へ参加するため約10日間、クラブのトレーニングから離れなければならない。「俺は誰にも負けない」という部分を周囲に示そうと、1月末の新シーズンの練習開始から１００％の力で挑んだ。

そんな強い気持ちはアメリカでも同じだった。

8月に予定されている北京五輪は、23歳以下の選手と年齢に関係のない3選手、合計18名に出場資格が与えられる。

マレーシア戦で試合出場したとはいえ、僕自身は満足してはいなかったし、現状のままでは北京は遠いという気持ちもあった。

だからこそ、五輪イヤー最初の合宿では気合が入った。

アメリカ合宿でもＦＣ東京と同じように「自分の武器で勝負する」ことを意識した。それはなにより自信を手にしたいからだ。「俺は出来るんだ」と思えれば、「もっとやれる」と考えられる。

「俺は出来るんだ」と思うことで、不安やネガティブな感情を抑え込める。だから僕は自己暗示をかけるように、そう思うときがある。

自分の力を信じる力、自信があれば、困難を前にしたときも前向きにチャレンジできる。出来るかな、じゃなく、やれるんだという気持ちで挑めば結果も違ってくる。

そのためには誰にも負けない自分の武器が必要だし、自分を信じられるだけの努力を日々重ねなければいけない。

3月8日、味の素スタジアムでのJリーグ開幕戦。先発出場を果たした。続く3月15日第2節、3月20日ナビスコカップでもポジションを離さなかった。

そして、国立競技場でのU−23日本代表アンゴラ代表戦。僕は右のミッドフィルダーとして先発し、先制点をアシストする。まだまだ課題は多いが、いいスタートが切れたという感触はあった。

4月17日発表された日本代表候補合宿メンバーに選ばれた。

「あんたが代表って、そんなことあってええん?」

母さんは喜び以上に驚きを隠せない様子だ。そして、「感謝してやってきなさい」と言ってくれた。


その年の1月にひとつ下の内田篤人《うちだあつと》がすでに代表デビューを飾っていた。2007年秋に就任した岡田武史《おかだたけし》監督が、合宿に初招集したばかりの彼を試合に起用したことは、「若い選手にも代表の門戸は開かれている」というメッセージであることが十分に伝わってきた。


記者にそのことを聞かれれば「負けたくはないですね」と答えた。でも、「まだ代表のことは考えられない。まずは五輪」というのが正直な気持ちだった。

開幕から6試合が終わり、3勝2分1敗とFC東京も調子が良く、僕自身もJリーグという新天地で伸び伸びプレー出来ていた。

「前へ上がっていく選手はいるけど、戻ってくることもできる長友は、今までいないタイプの選手。こういう選手がサイドにいたら楽になる」

岡田監督はU－23日本代表のアンゴラ戦での僕のプレーを見て、そんな印象を抱いたと聞いた。

「運動量、スピード、スタミナ、1対1の強さという自分のストロングポイントを見せつけてやる」

その思いが反町五輪監督だけでなく、岡田監督へも届いたからこそ、代表候補合宿へ呼んでもらえたのだろう。

僕の武器を作り上げるために尽力してくれた指導者やチームメイト、家族への感謝の気持ちもさらに強くなった。

チャンスを逃さないために日々の準備を怠らない

初めての代表合宿。

「別に失うものはないんだし、やれることを出し切ればいい」

リラックスした気持ちで参加した。「同じプロの選手なんだ。年齢は関係ない」と思っていたけれど、今考えれば、結構緊張していた。年上の選手が放つオーラからは、僕にはない〝経験〟が漲《みなぎ》っている。

練習前後のストレッチや食事のとり方、日常生活での振る舞い。学ぶべきことはピッチの中にとどまらない。意識やレベルの高い選手が集まる代表は、U－23代表とは違う落ち着きがあり、成長するために必要なもの、吸収すべきことがたくさんあると感じた。

「ずっとこのグループの一員でいたい」

自然と欲が出た。

意識することもなく、イメージも出来なかった代表。その一員として過ごしたのは、わずか数日間だった。しかし、日本代表、W杯……遠くにありすぎて、ぼんやりとしていた目標の種が自分の中に蒔《ま》かれた、貴重な時間となった。


5月中旬からU－23代表はフランスへの遠征が決定していたが、僕は同時期日本で行われるキリンカップの代表メンバーに選ばれた。

5月24日キリンカップ対コートジボワール戦で代表デビューを飾った僕は、つづく27日のパラグアイ戦でも先発する。

「伸びしろがあるので今後が楽しみ」と監督はコートジボワール戦後の会見で僕について話してくれたが、僕自身は納得も満足も出来なかった。

不思議なものだ。あれほど遠い場所、手の届かない場所だと思っていた代表戦。でも、その舞台に立つとまったく「感慨深い」というような気持ちにはならない。

ひとりの選手として、「どれだけ勝負出来るか」という思いしか生まれてこない。年齢も関係ない。経験も関係ない。

僕が僕として、「戦えるか戦えないか」ただそれだけだ。


「一度ボランチに当ててから、大きく俺のほうへ蹴れ。顔を上げて、遠くを見るようにすればいい」

パラグアイ戦で共に戦った中村俊輔《なかむらしゅんすけ》さんは、試合前からいろいろとアドバイスを送ってくれた。試合終了の笛が鳴った直後も「もっとこうすればいいんだ」と声をかけられた。俊輔さんは長く代表の10番を背負い、イタリアやスコットランド、スペインでもプレーしたゲームメーカー。ゲーム全体を俯瞰《ふかん》する目を持っているから、話も面白い。どんどんその言葉に吸い込まれ、風呂の中でも長話になり、試合後バスに乗ったのは最後だった。

続く横浜で行われたW杯アジア3次予選オマーン戦にも先発。その後のオマーン・タイ遠征のメンバーにも選ばれた。しかし、オマーン戦で負傷交代。大したことはないと思っていたが、マスカットへ向かう機内の中で腫《は》れてしまい、6月7日、14日、22日の3連戦には出場出来なかった。

試合に復帰したのは7月のJリーグ鹿島アントラーズ戦。後半からの途中出場だったが、北京五輪代表発表には間に合った。晴れて北京への切符を手にする。

初めて候補合宿へ呼ばれてからの1年間。ヘルニアに苦しめられた時期もあったけれど、常に自分にはなにが足りないかを考えてきた。五輪代表という目標を達成するため、逆算してやるべきことをやってきた。

突然訪れるチャンスを逃さないように毎日準備をしてきたし、「もういいかな」と妥協をしたこともない。努力は絶対に怠らなかったと言い切れる。

チャンスに恵まれる運、チャンスをつかむ運もあるのかもしれないが、やはりたくさんの人の支えや導きによって、僕は五輪代表にたどり着けた。僕は人との出会いに恵まれていると痛感した。だから、改めて僕は感謝する。感謝の気持ちがあるから、僕は成長出来る。この気持ちがなくなったら、僕の成長は止まってしまうだろう。

感謝の心があるから、恩返ししたいといつも考える。そのためには成長しなければいけない。誰かのためにという思いが、努力を支えてくれているのかもしれない。

「プレゼントの代わりに北京へ連れて行くよ」

初給料ではお世話になった親戚などにプレゼントを贈った。でも、母さんには贈っていなかった。そして、5月の母の日にも同じ言葉を繰り返していたから、その約束が叶《かな》えられ、嬉しかった。

ミスを恐れる気持ちがプレーをあいまいにする

「しょうがないよな。だって、あいつの父さんは、MLBのプロ野球選手なんだから」

ホテルの部屋で、無機質な壁や天井を見つめながら、僕は自分に対しての言い訳を繰り返していた。

「いやぁ、もうフィジカルもスピードも衝撃だったよ。ＤＮＡが違うんだよな。父さんも一流アスリートだしさ」

チームメイトの前でもそう言って笑い飛ばした。

本当は笑えるような心境じゃない。それでもそうしなければ、居場所が作れないような気持ちだった。なんとか強気な発言をして、落ち込んでいないと強がるしか術《すべ》がない。でも、同時にそんなヘボい自分が情けないし、腹立たしい。「なにやってんねん」と思いながら下を向いていた。２００９年夏、中国での話だ。

８月７日北京五輪初戦対アメリカ戦。僕らは０－１で敗れた。

日本ペースで進んでいた試合の後半開始直後、右サイドバックのオーバーラップを許し、そこからアメリカにゴールを決められた。その後守備も固めた相手に、日本はゴールを奪えないまま試合終了。初戦以降はナイジェリア、オランダと続くグループリーグ戦。一番戦いやすい相手だとメディアから言われていたアメリカに敗れたショックは大きい。

アメリカの右サイドバックのマーベル・ウィンはプロ野球選手を父に持ち、すでに代表でもプレーしている俊足選手として、試合前から要注意だと言われていた。というのにその選手に、突破を許した僕は、自分自身でも驚くほどに落ち込んでしまった。

「負けませんよ。日本のために勝利しかない」

大会前、報道陣を前に僕はそう語った。その言葉にウソはないし、いつものように「負けるものか」という思いでピッチに立った。しかし、実際は違っていたのかもしれない。初めての大舞台。注目度も高い。

「ミスはしたくないな」

心のどこかで、そんな思いが高まっていた。そうなればプレーは当然消極的になる。大切なのは自身がプレーの主導権を握るための積極性だ。思いきった攻撃参加が出来ればいいわけじゃない。相手によっては守備から入る試合もある。でも、気持ちが消極的だとすべてがあいまいになる。

確かにウィンはスゴイ選手だった。

けれど、僕の気持ちが消極的でなければ、勝てる相手だったと今は思える。

しかし、こんな風にあのときのことを客観的に話せるようになるまでには、時間がかかった。ここからの数カ月間は、僕のサッカー人生にとって、大きな試練のときとなる。

五輪での第2戦ナイジェリア戦で僕は先発から外れた。日本も1－2と敗れ、大会の敗退がほぼ決定する。

「勝って終わりたい。このあともサッカーは続く」

そんな意気込みで先発した8月13日の最終戦オランダ戦でもサイドを破られ、PKを与えてしまい、0－1で負けた。

苦しいときこそチャレンジしなくちゃいけない

9月、10月とW杯最終予選が控えていた日本代表は8月20日にウルグアイとの親善試合を行なった。ハイプレッシャーでピッチを支配するウルグアイに日本はなにもできず、1－3と完敗。僕は後半から出場したが、まったく良いところがなく、逆にミスの目立つ最悪なプレーだった。

五輪で傷ついた心を回復させるために結果を残したい。そんな思いでピッチに立ったが、レベルの高いウルグアイの選手を前に僕の心は「またミスを犯したらどうしよう」という弱気に支配されていた。

北京から帰国後のJリーグでも試合出場し、もう大丈夫だという気持ちもあった。

でも僕のメンタルはブレまくっていた。


プロ1年目は戸惑《とまど》いも多かった。

プロとしての生活に慣れていない状態で、日々はめまぐるしく過ぎていく。Jリーグ、五輪、そして代表。どんどんとステージが高くなる。課題が見つかり、吸収したいことばかりが増える。しかし、自分をじっくりと見つめる時間をなかなかとることができず、休む間もなく試合はやってくる。真剣勝負での高い緊張感から解放されない。しっかりとした睡眠も休養もとれていない。不安を解消することもないまま、ピッチに立てばアドレナリンが湧《わ》き出る。しかし、準備不足の状態ではいいプレーが出来るわけがない。焦せる気持ちがさらに自分を苦しめた。

目の前のことに集中するだけで精一杯だった。

今思えば、追われるような毎日だったのかもしれない。鈍行の列車から新幹線に乗り換えたような感覚。窓から見える風景はすごいスピードで流れていく。

ステップアップする自分に浮かれることはなかった。

でも、どこかに甘さが出ていたのかもしれない。

「また試合がある。練習をセーブしたほうがいいんじゃないか」

そんな思いがあったのかもしれない。

いわゆる守りの姿勢になり、それがミスを恐れる弱気につながったのだろう。

学生時代に比べたら、ひとつひとつのプレーの責任も大きい。マスコミやサポーター、周囲の声もたくさん耳に入る。そういう声、批判を恐れ、メンタルがブレる。


悪いことが連鎖のように続く。苦しい毎日だった。

でも顔を上げ、前を、上を向かなければ、ここで終わってしまう。

「成長するために、今、苦しい思いをしているんだ。これを乗り越えたら、成長した自分が待っている」

過去もそうだった。苦境に立たされたときは、無理やりでもいいから、ポジティブなイメージを抱く。投げやりではなく、心底、気持ちを前向きに立て直したいと願った。

どうすれば、強い気持ちを手に出来るのか?

答えはわからないけれど、やれることは決まっていた。
「また練習するしかない。もっともっと強くなるためには練習しかない」
自分の弱さを素直に認める。そうすれば、あとは自分を追い込む努力をすればいい。とてもシンプルで大切なこと。出来ることから始めるしかなかった。

このときの経験は、僕にとって重要な指標となっている。このときの苦しみ、苦悩、もがきがあるから、今の僕がいる。

ミスを恐れてのプレーはなにも得られないばかりか、そんなプレーをするならピッチに立つ意味すらないと思う。たとえミスがあってもいいから、躍動するプレー、自信を持って前に進むことが重要なんだ。積極的なプレー、チャレンジした結果のミスなら学びもある。自信満々で積極的な気持ちで試合に挑むためには、日々の練習しかない。自分に自信を持てる努力、準備をする。

「もっともっと」

あと1本、あと1回、あと1分……、どんどん追求していくしかない。

自分を追い込めば、自然と気持ちも前を向く。苦しいときこそ、チャレンジしなくちゃいけない。それは母さんの背中が教えてくれたことだ。

今の頑張りが、自分の成長へつながる。

悪いときを乗り越えてもう1ランク上に成長出来るかが大事なんだ。苦しいときこそが勝負のときだから。

「なんだか、うまくいかないなぁ」と漠然と過ごすことはない。「なんでうまくいかないのか?」とその理由を必死で探す。絶対に理由が存在し、すべてに意味があり、教えがあり、学びがある。それに気がつけるかどうかは重要だ。だから、困難にぶつかったときは、冷静に客観的に自分を見つめ直す。そうすることで、解決策、打開策が見つかる。

壁にぶつかったときこそ、成長のチャンスだ。

そのチャンスを引き寄せるためにもネガティブな要素は持ちたくない。だからこそ、自分を追い込み、チャンスをつかむ準備に励まなければいけない。今は苦しいけれど、これを乗り越えたら、絶対に成長した自分が待っているから。

自分の弱さを知った北京五輪。そこから這い上がりたいと戦う毎日の中で、弱さを認識する重要性も知った。ダメな自分を認めることは、自分の強さに気づくことでもある。弱い部分を理解するからこそ、成長して強くなれるんだと思える。自分の弱み、ダメな部分に気がつかなかったり、そこから目をそらせば、ただ流されて終わってしまう。

五輪のときは、弱い自分に引っ張られて苦しさを体験し、後悔した。あのときのような大きなものでなくても、恐怖感や弱気などネガティブな思いとの葛藤《かっとう》は、今でもある。だから、絶対に引っ張られないように踏ん張る。いろいろな経験を積んで、もうひとりの弱い自分をコントロール出来るようにもなってきた。

原点に戻ることで心のブレをなくす

「Jリーグでやれても世界相手だとまだまだアカン」

北京五輪や代表の活動の中でそう痛感した僕はFC東京の土斐崎浩一《どいざきこういち》フィジカルコーチと新たなトレーニングを行うことに決めた。

FC東京へ加入後、椎間板ヘルニアの痛みがなくなったのは、土斐崎コーチと尻の筋肉を鍛えるトレーニングを始めたことが大きい。

「体幹をこんなに鍛えているのに、なんで、ヘルニアが出るんや」と悩んでいた僕に「体幹を支えている尻を強くすれば、もっと椎間板も安定するんじゃないか」と提案してくれたのだ。土斐﨑コーチだけでなく、いろいろな人の話に耳を傾けた。

技術の向上も一朝一夕には出来ないが、フィジカル強化は根気が必要だ。人間の身体は複雑で、同じことをやったからと言って、どの選手でも同じ効果が得られるわけじゃない。しかしやってみないことには、選んだトレーニング方法の効果が、わからない場合もある。とにかく始めてみることが肝心だ。

「このトレーニングよりも、こっちのほうがいいんじゃないか?」

何度も試行錯誤を繰り返した。自分が信じる方法を続ける意志も大切だが、アドバイスにも耳を貸す。さまざまな情報を手にして、最善のやり方を追求していく。地道なトレーニングをコツコツとやり続けた。

土斐﨑コーチと共に行う自主トレの時間が増えた。全体練習後や全体練習のない午後などを利用した自主トレは、自分を原点へ戻してくれる時間となった。

何時間もただただ走った中学時代。寝る間も惜しんで筋トレに励んだ高校時代。科学的な根拠など持たず、実直にメニューをこなし続けた日々は闇雲に自分を追い込んだ時間だった。「もっともっと」と自身を鍛えることしか、僕は知らなかったから。

でもそれが長友佑都だ。

プロになろうと、代表になろうと変わらない。変わっちゃいけない自分の心の幹。

それが努力だ。

優れたサッカーの才能を持っているわけじゃない僕から、努力をとったらなにも残らない。努力は裏切らないし、努力をすれば成長出来る。そして成長に限界はない。そのことを僕は成功体験として、過去に学んだ。だからこそ、まっすぐ、迷いなく努力出来るのも僕のストロングポイントなのかもしれない。原点に戻れたことで、心のブレがなくなった。

２００８年11月のW杯アジア最終予選オマーン戦で先発復帰。前年12位だったＦＣ東京は６位という結果で２００８年シーズンを終えた。僕はＪリーグの優秀選手賞と優秀新人賞をいただいた。

この賞は僕に贈られたのではなく、僕をサポートしてくれた人たちへ贈られたものだと感じた。一緒に戦い結果を残してくれたチームメイトのおかげだし、僕を起用してくれた監督たちがいたことも大きい。

「ありがとうございます」

その言葉を重ねるたびに、お世話になった人たちのことを思った。

海外へ行けばいいというわけじゃない

代表で国際試合を戦うことで、もっと高いレベルで毎日を過ごさなければ、成長出来ないという危機感が生まれた。海外の選手との差を感じるたびに、彼らに追いつくためには、現状のままではダメだ。海外でプレーしたいという思いが募った。

でも同時にただ海外へ行けばいいとは考えていなかった。海外に出たら誰もが成長出来るわけじゃない。大事なのは、新しい環境で何を感じられるか。そして、そこからいかに努力という行動が出来るかだ。

どこへ移籍するか、どういう環境なら自分は成長できるのか。そして、自分の武器を活かせる場所はどこか。当時はまだ漠然とだったけれど、いろいろなことをイメージした。

同時にJリーグでキチンと評価されたうえで、海を渡りたいと考えていた。

「FC東京でレギュラーになること」

「北京五輪に出場すること」

「代表でレギュラーポジションを手にすること」

「W杯に出場すること」

「クラブでタイトルを獲得すること」

以上の5つを達成できれば、海外へ移籍してもいいという約束をFC東京の強化部の人たちと交わしていた。正確には覚えていないけれど、たぶん1年目だったと思う。

W杯出場権とクラブでのタイトルを獲得する。

そんな決意のもと2009年シーズンがスタートする。

2009年2月11日横浜。W杯最終予選最大のライバルと目されていたオーストラリア戦は0－0としのいだ。さいたまでのバーレーン戦は1－0で勝利し、W杯出場権獲得まであと1勝というところまで来た。予選は3試合残っていたけれど、「ここで決める」とチームが一丸となり、ウズベキスタン・タシケントへ向かった。

6月6日ウズベキスタン戦。前半早々に岡崎慎司《おかざきしんじ》が決めたゴールを守り続ける試合は、楽な90分間ではなかった。激しい身体のぶつかりあいを制しながら、高い緊張感で守備のバランスを保つ。守りの気持ちだけで、試合を逃げきることは出来ない。チャンスがあれば、攻撃に転じ、追加点を奪おうという意識もあった。試合終了直前に長谷部誠さんが退場し、岡田監督まで退席したが、僕らは冷静に試合をコントロールする。

そして1－0とアウェイで勝利をおさめ、見事W杯南アフリカ大会の出場権を獲得。歓喜の輪の中で感情を爆発させた。

でも、ここからがまた新しいスタートだという気持ちもあった。

W杯への出場権は日本代表に与えられたもの。僕自身はまだその切符を手にしたわけじゃない。そして北京五輪のように世界の舞台で無様《ぶざま》な姿は見せられない。

「大会までは残り1年間。もっともっと強くなる」

心の芯のところで、そう静かに誓った。

FC東京はナビスコカップを勝ち進んでいた。

代表活動中に行われることの多いこの大会への出場機会は少なかったが、準々決勝名古屋グランパス戦の第1戦に出場した僕は、得点も決めて、チームも5－1と大勝。準決勝進出へ貢献できた。

周囲に流されない。自分を客観的に見る

オランダ、ガーナとの親善試合のため9日に日本代表はオランダ遠征を行なった。親善試合とはいえ、相手のコンディションもいい欧州での試合は、日本で戦う試合とはまったく異なる難しさがある。移動や時差による疲労、ピッチなど環境の違いなど、対応すべき課題が多い。身体が大きく屈強なオランダ。身体能力の高いガーナ。タイプの違うふたつの強豪国との対戦は、W杯本番へ向けて、なにが足りないかを知るための貴重な実戦だ。だからこそ、全力でぶつからなければ、わかるものもわからない。

ガーナには4－3で勝利したが、0－3で敗れたオランダ戦のインパクトのほうが、W杯へ向けた準備に大きな影響を与えてくれた。うまくいかないことがあるのは、進化のチ

ャンスだ。課題が見つかれば、そこを修正し、強化すればいい。

欧州の強豪クラブで活躍している選手が多いオランダとの一戦。

ペナルティエリア内でボールを受けたファン・ペルシは、自分の足元深くにボールを置いたので、対応した僕もボールを奪うことは出来なかった。しかし、そんな場所にボールを置けば、すぐにはシュート体勢には入れない。シュートを打つ前に必ずボールを置き直す。だから、そのタイミングでボールを奪えるだろうと僕は考えていた。しかし、ファン・ペルシはボールを置き直すことなく、いとも簡単にクルっと反転し、シュートを放ち、ゴールを決める。しかも反転スピードも速い。高いテクニックとキレのいいフィジカル。

今まで体験したことのない〝世界レベル〟を痛感した。

「瞬発力、ダッシュ力、とにかくスピードを上げなアカンと思う」

土斐崎コーチに相談し、さっそくさらなるスピード強化に取り組んだ。

スピードとひと口に言っても、それは100メートル何秒というような速さだけではない。出来るだけ早くトップスピードに乗れるフィジカルも欲しい。強靭《きょうじん》でキレのあるフイジカルがあれば、高いテクニックも封じられると考えた。

日本人は海外の選手に比べると身体も小さく、フィジカルも弱い。それは長年日本サッカー界で論じられ、ある種常識としても語られていることだ。でも、僕にはそんな常識は関係なかった。確かに身体は小さい。でもフィジカルは鍛えられると信じた。

持久力を維持する筋肉と、スピードを発揮する筋肉はまったく違うものだとも言われている。マラソン選手と短距離選手の身体は違う。でもそのふたつを両立させる身体を作りたいと僕は思った。

「佑都はスタミナとスピードを追い求める筋肉をあわせ持っている。お前は日本サッカー界の常識（外国人に比べると日本人はフィジカルが弱いという）を変える、実験台になっていくんだろうな」

土斐崎コーチの言葉も自信になった。


リーグ戦と代表戦というハードスケジュールを戦いながら、フィジカルを強化する。W杯までには時間がない。どんな練習であっても手を抜くことは出来ない。

試合翌日などは、チーム全体でフィジカル中心のトレーニングを行う。

「俺、ペース上げていいですか？」

選手全員で走るメニューでも自分のペースで走った。自分のために必要なスピードは自分が知っている。土斐崎コーチも「佑都のペースで走ればいい」と言ってくれた。チームの輪は重要だし、雰囲気作りも大切だ。でも、周囲の空気に流されてしまうと自分のためにならないことも、ときにはある。


僕は自分の未来像、なりたい自分像をいつも意識している。それは日々進化し、微調整を繰り返しているけれど、今の自分と未来の自分との距離を測り、今、やるべきことの追求は怠らない。

「長友はいつも元気がいいね。イケイケだよね」

僕に対して、そんな印象を抱いている人も多いと思う。でも、だからと言って、なにも考えず強引に突破し続けているわけではない。いつも客観的に自分を見るようにしている。第三者の目から、自分がどんな風に見えているのかを考える。どう見られたいかを意識する。それはプレーの面だけじゃない。

僕はいつも明るく、勢いに満ちたオーラを放っていたいと思っているから、そういう言動をとる。逆に「長友らしくないな」と思うことはやらない。「周りからどう思われようと関係ない」という人もいるだろう。自然体でいることの重要性も理解したうえで、なりたい自分へ近づくため、周囲がどう自分をとらえているかを知り、自分の見え方を意識していくことも大切だと思う。

ときには背伸びをすることが、高い目標へ近づく力にもなる。強がって見えたとしても、その前向きな気持ちが悪い空気を消し去ることもある。放つオーラが僕を取り囲む雰囲気を変え、人との出会いや幸運を導くんだと思う。

だから僕は、いつもポジティブな気を放っている人間でいたい。

11月ナビスコカップ決勝戦。相手は川崎フロンターレ。右肩を痛めていた僕は後半途中から出場し、2－0の完封勝利に貢献、優勝の瞬間をピッチで味わうことが出来た。代表での勝利も嬉しいが、日々を共に過ごすFC東京での優勝は格別な喜びがある。いつも声援を送ってくれるサポーターへタイトルをプレゼント出来たことも良かった。

海外移籍のための果たすべきことは残すところあとひとつ。

W杯出場だけだ。

そう思うと同時に、気持ちが締まった。

好調なときこそ、来るべき困難を想定した準備をすべきだと僕は思っている。そういう準備が出来ていれば、壁にぶつかったときに慌てることもない。壁は成長のきっかけ。どんどん壁が来ればいいという気持ちになれるのも、準備が出来ているからだ。

そういう意味で僕はいつも壁を待っているのかもしれない。

W杯という世界最高の舞台へ立つまでには、さまざまな壁が立ちはだかっているだろう。その舞台に立てば、新たな壁を見つけることが出来る。

そんなW杯へ向けた準備、努力をさらに行わなければならない。

僕は自分が成長するためにサッカーをやっている。楽しいとか、面白いというよりも自分を追い込み、鍛えるための自分との闘いがサッカー。もっと成長するために、W杯という大きなチャンスを逃すわけにはいかない。

第6章 有言実行

目標を定め逆算し段階を踏みながら進む

2010年、W杯イヤーに日本サッカー界は盛り上がっていた。代表も1月下旬からキャンプに入り、2月2日のベネズエラ戦を0－0で終えた。オフ明けの試合は選手のコンディションにもバラつきがあり、難しい。W杯に出場しないチーム相手に引き分けてもある意味しかたのない部分もある。その後の東アジア選手権は中国、香港、韓国相手に1勝1分1敗。ホーム開催というのに3位という不甲斐ない成績だった。日本代表は苦しい状態でW杯イヤーをスタートさせた。

4月7日のセルビア戦は、欧州のシーズンが佳境を迎えていることもあり、日本もセルビアも国内でプレーする選手を中心に構成されたチームでの試合となった。日本はセルビアの3倍にも及ぶ800本あまりのパスをつないだ。しかし、ボールのとられ方が悪く、相手のカウンター攻撃を受けて失点を重ね、結果0－3と惨敗する。組織的に守りを固めたセルビアの術中にハマった。しかもセルビアは若手中心のチーム。2軍に惨敗したことで、日本代表に対する批判の声は自然と高まる。

すでに２００９年12月にW杯抽選会が行われ、グループリーグの対戦相手もカメルーン、オランダ、デンマークと決まっている。「W杯ベスト４」と目標を掲げていた岡田ジャパンに対して、悲観的な見方をする報道が増えた。


５月10日W杯のメンバー発表。僕は部屋のテレビで見ていた。

ゴールキーパーからディフェンダーの順に選手の名前が読みあげられる。僕の名前が告げられたときには、「よし‼」と力が入った。そして母さんへ電話をかける。

母さんは泣いていて言葉が出ていなかった。だから僕は伝えた。

「ありがとう。辛い日もあったけど、家族みんなで乗り越えた結果やね。感謝しています」

話していると僕自身にもこみ上げてくるものがあったから、電話を切った。


その後、ＦＣ東京のクラブハウスでの会見に出席。たくさんのクラブ関係者からお祝いの言葉をかけられた。報道陣を前にして、改めて実感が湧《わ》いてくる。

僕が初めてW杯を見たのは、日本が初出場した１９９８年のW杯フランス大会だ。日本代表初戦のアルゼンチン戦。一瞬のスキを突くように決めたバティストゥータのゴールが脳裏に焼きついている。

「世界にはスゴイ選手がおるんや」

小学5年生の僕にとって衝撃的なシーンだった。

その後も2002年日韓大会、2006年ドイツ大会と見てきた。「いつかあそこでプレーしたい」という気持ちはあっても、自分にとっては縁遠い舞台だと思っていた。目の前のことで精一杯だったから、当然だ。

そして2010年、その舞台に立つ権利を得ることが出来た。

「日本を背負って戦わなくちゃいけない。今、そういう覚悟を強く持っています」

僕は会見でそう話した。

W杯はサッカーをプレーする誰もが憧れる大会。出場を目標に日夜努力する選手は多い。代表で時間を共にしながらも、W杯メンバーから外れた選手も少なくない。「選ばれなかった選手たちの分まで」と、僕が言ったところで、外れた選手の気持ちがむくわれるわけでもないし、偉そうかもしれない。でも、W杯メンバーに選ばれたということは、日本にいるすべてのサッカー選手の代表である。

「長友を選んで良かった」と思ってもらえるよう、しっかりとプレーするのは当然だし、多くの人たちのさまざまな思いを背負いプレーしなければならない。ヘボい長友佑都は見せられない。北京五輪の失敗は繰り返すわけにはいかない。

大きな舞台でも、ミスを恐れず積極的なプレーをしたい。動じずブレない自信を身につけるために、なにが必要かを見極めて、準備してきた。W杯から逆算し、段階を踏みステップアップを重ねることが出来た。

「W杯というすごいプレッシャーの中で、どれだけ自分の力を発揮出来るのか、自分はなにがどれくらい出来るのかというのを試してみたい。W杯は対戦相手との戦いでもあるけれど、それ以上にまずは、自分自身との戦いだと思います」

パシャパシャとフラッシュが焚《た》かれる中で、僕は語り、誓った。

逆境に立たされたときこそ、自分の真価が問われる

5月24日埼玉スタジアム2002。国内最後の親善試合となる韓国戦が行われた。右のミッドフィルダーは2002年日韓大会で活躍後オランダへ渡り、マンチェスター・ユナイテッドでプレーするパク・チソンだ。左サイドバックの僕としては、絶対に負けられな

い相手だと考えていた。しかし、前半開始早々にそのパクがドリブルからシュートを放ち、先制点を決められてしまう。

その後は、コンパクトな陣形から速くて厳しいプレッシングをかける韓国相手に日本はまったく自分たちのサッカーが出来なかった。そして後半に入り、同点ゴールを奪おうと日本は攻撃に出るが、試合の主導権は韓国が握ったまま。終了間際にはカウンター攻撃からPKを与えてしまい、試合は0－2と敗れた。

「今日で終わったわけではないので、前を向いて前進するのみです」

試合後は悔しさを募らせながら、そう応えるのが精一杯だった。


そんな試合の翌日、僕は岡田監督に呼び出された。

部屋の前に立ったとき、自分がとても緊張していることがわかった。

「長友です」

「入っていいぞ」

ドアをノックすると、岡田監督の声が聞こえてきた。

2008年に代表入りして以来、岡田監督の部屋に呼ばれたのも、ふたりっきりで話すのも実は初めてのことだった。

「こんなときに、いったいなんだろう……」

不安が頭がよぎった。

監督は試合の映像を編集したＤＶＤを見ていた。いろいろな非難が集中している状態だったが、動揺しているようには見えなかった。

「お前は、前は守備から入って攻撃というプレーをやっていたじゃないか。そのプレーはチームにとって非常に大きな効果をもたらしていた。Ｗ杯を戦ううえで、お前の守備は武器になると考えているし、それを続けてほしいんだよ」

静かに淡々と語る岡田監督を見ながら、僕はハッとし、自分のプレーを考え直した。

「監督の言うとおり、僕は攻撃のことを考えすぎていたのかもしれない」

試合の内容や結果が思うようにいかないこともあったが、心のどこかでゴールを決めたり、得点にからむ目立つプレーを求めている自分に気がついた。チームのために、守備が大事だというのに……。

「Ｗ杯ではしっかり守備をする。そのうえで攻撃へ出ていく」

監督の言葉に自分の仕事を再認識することが出来た。

「初戦のカメルーン戦だけど、お前にエトーを見てもらいたい。エトーが左でプレーしたら、そのときは右サイドバックで出場してもらう」

相手エースのマーク。その指示を聞き、僕は監督からの信頼を感じた。

岡田監督は直接選手に声をかけることが少ない監督だと思う。僕自身はこのときが初めてだった。W杯を前に「僕のことを信用してくれているんだ」と思えたのは、大きな力になった。このとき、監督からの指摘があったからこそ、僕は自分のプレーに迷いを持つことなく、W杯へと向かえた。

厳しい非難の真っ只中に立たされていても、自分の仕事に集中し、冷静さを失わず、W杯への準備に余念がない監督。その信念の強さに感動した。


そして僕らはスイスでの事前合宿へ出発した。

イングランド戦は1－2、コートジボワール戦は0－2と2連敗。悲観的な報道が続いていたけれど、僕はまったく不安になることはなかった。

実はスイス入り直後、選手だけのミーティングを行っていた。

「俺たちは下手くそなんだから、もっと泥臭くやらないと勝利は転がってこない」

闘莉王さんが口火を切り、「みんな思っていることをここで話そう」と、選手全員が自分の心境を語り合った。ベテランも若手も、欧州組も国内組もレギュラーも控えもない。誰もが「勝ちたい」という思いを抱いている、誰もが「このままじゃダメだ、なんとかしなくちゃいけない」と考えていることが伝わってきた。勝つためには……自然と話題は戦術面にも及んでいった。

「相手のサイドバックにボールが入ったとき、プレッシャーへ行ってくれると守りやすい」と僕は話した。

選手数人で集まり、話す機会はあった。しかし全員で話すことに大きな意味がある。立場に違いがあっても、目指すものは同じだと再確認し、団結のきっかけをつかんだ。

「苦しいとき、逆境を乗り越えたら、大きなチャンスがやってくる。W杯では絶対になにか（いいことが）起きる」

そう思えた根拠はほかにもある。それは岡田監督の姿だ。

どんなに非難されようと監督はブレたり迷うことがなかった。逆に悪いときこそ、成長出来るチャンスなんだということをずっと僕たちに言い続けてくれた。

「人間万事塞翁が馬」

これはミーティングでもよく監督が口にしていた言葉だ。

「人生にはいいことがあれば、悪いこともある。悪いことが良いことへつながり、いいことが悪いことへつながる可能性もある」

そんな風に考え、日々の結果に振り回されることなく、自身の信念を貫き通す岡田監督を見てきたから、僕は思った。

「岡田監督はきっと、大きなことをやり遂げる人だ。だから日本代表もW杯で良い結果が残せるに違いない」

逆境に立たされた今こそ、人間としての真価が問われる。

「チームのためになにをすべきか」

6月14日、ブルームフォンテーン。W杯南アフリカ大会初戦対カメルーン戦。

僕は左サイドバックとして先発した。まずは右にいるエトーに仕事をさせないこと。自分のファースト・ミッションに集中する。

イングランド戦でウォルコットと対峙《たいじ》した経験は自信になっていた。だから、とにかくエトーを前に向かせない。もしもボールを持ってゴールへ向かわれても、慌てず自分の間合いで対応することを心がけた。

日本は阿部勇樹《あべゆうき》さんをディフェンスラインの前に置き、(本田《ほんだ》)圭佑《けいすけ》が1トップというフォーメーション。全員で守備をするという監督からのメッセージがストレートに伝わってくる。カメルーンはディフェンスラインに弱点があるので、その裏をついて攻撃するイメージだ。自分たちのサッカー、チームとしての戦い方が明確になり、選手たちは迷いなく、日本のサッカーのもとでひとつになれた。

守備陣だけでなく、攻撃陣も守備に参加するため、攻撃のチャンスは少ない。それを覚悟で泥臭く戦う。労を惜しまず走り続けるしか、勝機はない。

そして、前半39分、松井大輔《まついだいすけ》さんのクロスボールを圭佑がゴールする。先制点を手にした日本の守備時間は自然と長くなった。しかし、一致団結した日本の強固な守備でカメルーンの攻撃を封じ、1－0で勝利を飾る。

ホーム開催以外、3大会出場し初めての勝ち点3を手にした。

試合終了のホイッスルが鳴った瞬間、ベンチにいた選手たちも一緒に大きな輪となって、勝利を喜んだ。

守って、守って守り切った。そんなサッカーはカッコ悪いという人もいるだろう。でも、日本にはまだ力がない。だから日本が勝つには、この戦い方しかないと思っていた。

カメルーン戦の勝利は、グループリーグ突破を有利にしただけじゃない。日本サッカーに新たな歴史を残しただけでも終わらない。

この勝利で、日本代表は本当の意味でひとつになれた。

大会直前にフォーメーションが変わったこともあり、アジア最終予選を戦ったレギュラーが何人か先発から外された。試合に出られない選手たちは苦悩や悔しさを抱えていたと思う。スイスでのミーティングですべてが解決出来るほど、人間の感情は単純じゃない。

控え組の選手たちは、先発から外れたからといって、練習で手を抜くことはなかった。「出場のチャンスを諦めたわけじゃない」という意気込みに溢《あふ》れていたから、「気を抜けば、試合に出られなくなる」という危機感が自然と僕らに生まれる。

紅白戦のあとに、「もっとこうすればいいよ」とアドバイスをくれたのも控え組の選手たちだ。自分の感情を隠しても「チームのためにやれることはなにか」と考えて、試合に出る僕らを支え、励まし、力づけてくれた。

「みんなの献身に応えるためには、勝利するしかない」

日の丸を背負う使命感、責任感がさらに高まった。北京では背負ったものの重さにつぶされてしまったが、W杯ではプレッシャーが力へと変わった。


初戦の勝利は、日本代表に自信と勇気と確信を与えてくれた。ピッチに立った選手も、ベンチに座っていた選手も「今までの頑張り、努力がむくわれた」と感じられたと思う。

ひとつになること、ひとつになれることは、日本人のストロングポイント。この強みを磨き、活かすことで、世界と戦える。


6月19日オランダ戦。0－1で試合には敗れた。オランダに支配された試合だという人もいるだろう。しかし、僕らは悔しさと共に手ごたえもつかんでいた。オランダを相手に自分たちのシナリオどおりにゲームを運べたのだから。支配されることは想定済だった。もちろんゴールを決めなければ試合には勝てない。スナイデルはわずかなチャンスできっちりとゴールしている。しかし日本はチャンスがあったのに決めきれない。それが世界との差であると痛感した。

目標が達成出来なくても得られるものは大きい

引き分けでも決勝トーナメント進出が決まる6月24日デンマーク戦。

僕らは引き分けでなく勝利を求めて、試合に挑んだ。

前半17分に圭佑が、前半30分には遠藤保仁《えんどうやすひと》さんがフリーキックから得点し、2－0で迎えたハーフタイム。「3点目をとりに行こう」とロッカールームで話した。

2失点し、デンマークは精神的にも肉体的にも疲労の色が濃くなっていた。しかし日本は何度もチャンスを作りながらも追加点を奪えない。後半途中出場したオカ(岡崎慎司《おかざきしんじ》)がやっと3点目を決める。3－0と勝利し、僕らは次のステージへの切符を手にした。

日本の決勝トーナメント進出は南アフリカ大会を通じてのサプライズだと言われていた。でも僕らの目標はもっと高いところにある。ベスト16という結果への喜びは大きかったけれど、「まだまだここからだ」という気持ちが強く心の中に芽生えた。

「走らないと勝てない」

決勝トーナメント1回戦のパラグアイ戦を前に僕はメディアそうに語った。これはチームの基本姿勢でもあると同時に僕自身の武器だ。ここで発揮してこそ輝けるのだ。

連戦の疲れがないと言えば、ウソになる。しかし、ここからはトーナメント戦。負けたら終わりだ。そして勝つことで、高い場所へ昇れる。こんな大きなチャンスを前に「疲れた」などと言っている場合じゃない。

パラグアイのオスカル・カルドーソが蹴ったボールがゴール左に決まった瞬間、僕らのW杯が終わった。

6月29日パラグアイ戦。120分の延長戦を終えても試合は0－0のまま。勝敗の行方はPK戦へと持ち込まれた。

日本3番手の駒野友一《こまのゆういち》さんの蹴ったボールがゴールのバーにあたり、外れる。崩れ落ちそうな駒野さんに（中澤《なかざわ》）佑二《ゆうじ》さんが手を伸ばす。長谷部《はせべ》さんがそこへ加わり、駒野さんがチームメイトのもとへ戻ってくる。ジュビロではプレスキッカーをつとめ、南アフリカでの練習でもＰＫを何本も決めている駒野さんを責める者はいない。みんなが声をかけ励ました。その輪はどんどん大きくなる。チームの絆《きずな》、日本代表がひとつになっていることを改めて実感する。

「ありがとう」

岡田監督の言葉に僕は「ありがとうございました」と答え、監督の何百倍も感謝の気持ちでいっぱいですよと、歩いていく岡田監督の背中を見ながら思った。

悔しくてたくさんの涙を流した。でもこんな涙を流せる自分は本当に幸せだ。

Ｗ杯では世界の厳しさを学んだ。チャレンジしたからこそ、手ごたえをつかむことも出来た。そして、チームがひとつになることの重要性。一致団結することが勝利を導くと改めて知ることが出来た。

ベテランとか若手という壁もなく、レギュラーとかサブという立場の違いによる溝もない。川口能活《かわぐちよしかつ》さん、楢﨑正剛《ならざきせいごう》さん、（中村）俊輔《しゅんすけ》さん、稲本潤一《いなもとじゅんいち》さん、中村憲剛《なかむらけんご》さん、玉田圭司《たまだけいじ》さんというベテラン選手たちが、先発から外れてもチームのために闘ってくれた。そういう日本代表の良さを僕ら若い選手が次へつないでいかなくちゃいけない。大会を通して経験したさまざまなことを。

チームメイトたちを見ながら、僕は新たな使命感を抱いていた。

ベスト4という目標は達成できなかったけれど、ここへ至るまでの道のりで、本当にたくさんのことを学べた。積み重ねた努力はなにひとつ無駄ではなかったし、自分の強み、弱みを知る場所に立てたから、ここからがまた新しいスタート。W杯の余韻に浸らず、明日のため、将来のための準備を始めなくちゃいけないと思った。

満足してしまったら、僕は終わってしまう

「家族4人がそろうことなんて、ホンマに久しぶりやねぇ」

母さんが笑う。試合後、ホテルのロビーで家族に会った。大会を通じて応援してくれた母さん、麻歩《まほ》。そして途中から駆けつけてくれた宏次郎《こうじろう》。南アフリカで勢ぞろいした家族の前で、チャレンジした自分を見せられた。W杯で頑張っている姿を見せることで、お世

話になった人たちへ少しは恩返し出来たかもしれない。

「感動しました‼」

南アフリカから帰国すると、会う人みんながそう言ってくれる。僕はただ懸命にプレーしただけだったけれど、多くの人が感動してくれたという。その事実は自分の仕事であるサッカーの持つ力を再認識させてくれた。勝敗以外にも大きな副産物がある。そんな素晴らしい仕事をしていることを誇りに思うと同時に、喜びを感じた。

しかし日本の盛り上がりぶりには戸惑いもあった。1カ月前とはまったく違う立場に僕は立っている。次々と寄せられる賛辞。その中で僕は微妙な違和感を持ち始めた。そして、それが危機感へと変わっていく。

僕は今まで目標を達成するために自分を追い込む生活を続けてきた。その結果、W杯の舞台に立つことが出来た。みんなが温かく迎えてくれることは嬉しい。でも、この環境に慣れてしまっては、僕は終わってしまう。このまま日本に居続けたら、この状況に流されてしまうかもしれない。現状に満足し、安心してしまうことが怖い。もっともっと厳しい環境へ行かなければ。ここにいたらダメだ。日本を飛び出さないと先はない。

海外でプレーしたいという思いはW杯前から持っていた。そして、W杯で自信を得ることも出来た。今が飛び出すチャンスだ。

帰国した時点ではまだ海外からの正式なオファーはなかった。けれど、興味を示してくれるクラブがあり、代理人が渡欧していた。そんな中で、イタリアのチェゼーナというクラブが正式オファーの準備をしているという話が届いた。同時にドイツのクラブからも話があるという。スピード、1対1、フィジカル……自分の強みが活かせるのはイタリアだとイメージしていた僕は、チェゼーナの話に魅《ひ》かれた。

2010－2011シーズンからセリエAへ昇格するチェゼーナの新監督に就任したマッシモ・フィッカデンティさんは、何度も来日し、FC東京で僕のプレーを見ていた。だから、唯一の外国人枠をディフェンダーである長友佑都のために使い獲得するよう、クラブに働きかけてくれた。

実際に僕のプレーを見、評価してくれている人のもとでプレー出来るのは、海外へ移籍するうえで非常に有利だと思った。

7月9日、FC東京とチェゼーナの間で移籍交渉が合意される。FC東京のスタッフと交わした5つの目標をきちんとクリアーした形で、移籍出来ることを嬉しく思った。快く送り出してくれたクラブには本当に感謝している。

ＦＣ東京との契約が残っていた僕を獲得するには移籍金が生じる。小さなクラブであるチェゼーナにはその金額は重荷になる。だから、ＦＣ東京へレンタル料を支払い、僕を起用する。そして、僕が本当にイタリアで活躍し、チームの戦力と判断したとき、正式獲得するというオプションつきの契約だった。

「絶対に活躍してみせる。そして、もっと上のクラブへと移籍していく」

僕は契約条項の説明を受けながら、自分の未来をイメージした。

欧州では、小さなクラブでデビューし、その後活躍しながら、移籍を繰り返し、ビッグクラブへと這《は》い上がっていく選手は多い。それが海外でプレーする選手たちのひとつの人生設計だ。選手を移籍させることで移籍金を獲得し、クラブ経営を安定させている小さなクラブもある。

僕が成長し、大きなクラブへ移籍出来ればプロデビューの場を与えてくれたＦＣ東京、セリエＡの門戸を開いてくれたチェゼーナへ移籍金という形での恩返しも出来る。

7月14日、チェゼーナと正式契約を交わした僕は、7月17日、ヴィッセル神戸との試合後にサポーターへ挨拶する機会を与えてもらった。ゴール裏へと歩き出す瞬間、場内に響く「長友コール」の中で、僕はすでに泣きそうになっていた。チーム広報に言われて、サングラスを用意していてよかった。

「ボンジョルノ‼」

サングラス姿の僕の挨拶にすかさずブーイングが起きる。いつも気持ちのこもった声援を送ってくれる東京のサポーターらしい反応だ。

「すべってスミマセン。ここは日本でしたね」と僕。場内に温かな笑いが湧きおこる。

「信念持って戦ってきます。もっとビッグに、世界一のサイドバックになって帰ってきます‼」

僕はそう大きな声で宣言した。

「世界一のサイドバックになる」

南アフリカから日本へ戻る飛行機の中で、僕はそう決意していた。

「W杯へ出場したくらいで」と笑われるかもしれない。でもそんなことは関係ない。笑われたっていい。大切なのは自分がそこへ向かうために進むこと。目標までの道のりを逆算し、小さな課題をひとつひとつクリアーしながら、前進していけば、必ず成長できる。その道のりが重要なんだ。

良いときこそ、来たるべき苦労のための準備が必要

「ここで爆発するために23年間頑張ってきたんだ。やっとスタート地点に立てた」

8月29日セリエA開幕戦。ローマとの一戦を前にそう思った。

元イタリア代表のトッティをはじめ、世界の有力選手がそろうローマ・イレブンの横に立つ。1年前なら「スゲー、トッティだよ」と感じたかもしれない。でも今は同じ舞台に立つ選手だ。感動している場合じゃない。トッティが素晴らしい選手だということは理解しているけれど、ここでビビっている場合じゃない。少しでも「スゲーよ」なんて気持ちになったら、世界一のサイドバックにはなれない。

「来いよ！　どんどん来いよ！　俺は世界一のサイドバックになる男だ」

ピッチに散らばり、ポジションについたときは自信満々で試合開始を待っていた。

試合は0－0の引き分けに終わった。

日本と違い、イタリアや欧州ではアウェイでの試合はホームよりも難しい。そんなアウェイ戦で名門クラブ相手に勝ち点1を手にすることが出来た。

「イタリアでもやっていける」

自信はさらに強くなる。


「コンプリメンティ!!」

9月12日、昼食へ出かけるとチェゼーナの町の人がそう声をかけてくれる。この日は僕の誕生日。「なんでみんな、誕生日だって知っているんだろう」と不思議に思いながらも「グラッツェ」と答えた。でもこれは「コンプリメンティ」が誕生日の意味だと思っていた僕の勘違いだった。誕生日は「コンプレアンノ」だ。「コンプリメンティ」は良くやったとか、そういう意味らしい。

9月11日、僕らチェゼーナはホームにACミランを迎えた。先発すべてが強豪国の代表経験を持つスター軍団相手に、チェゼーナは勝利を収めた。

セリエBから昇格したばかりのチームが、ACミランを破るなんて、本当に快挙と言っていい。「どんな相手でも負ける気はしない」と試合に挑んだ僕も敗戦に悔しがるＡＣミランの錚々《そうそう》たるメンバーを見ながら、「こいつらに勝ったのか」と興奮度が高まった。

試合後のサポーターの熱狂も簡単に収まるわけはなく、駐車場から自宅まで歩く道のりでも、「ナガトモ・グランデ!!」とお祝いの言葉を次々とかけてもらった。しかも、部屋に戻ってからもインターフォンを鳴らし、喜びを伝えるサポーターが後を絶たない。しまいには表から歌声まで聞こえてくる。「ナガトモ、ナガトモ」と歌ってくれている。すでに日付が替わっていたけれど。

ブラジル代表のパトにほとんど仕事をさせなかった僕に対して、町の人が「コンプリメンティ!!」と賛辞を贈ってくれていたのだ。

21歳のブラジルの新鋭パトとの攻防について、日本やイタリアのメディアでも評価してもらった。確かに大きな手応えを得たが、僕のプレーはパーフェクトだったわけじゃない。「ああすればよかった」「こうも出来ただろう」という思いもあるし、レベルの高い選手を抑え続けるためには、もっと自分が成長する必要性を改めて強く感じていた。

Ｗ杯を経て、新たな自信が僕には宿っていた。それは試合や練習だけでなく、生活面にもいい影響を与えてくれていた。たとえ海外のクラブであっても、自分がチームの中心だという気持ちでチャレンジ出来ている。

北京五輪のとき、すごい苦しく辛い思いをした。でもだからこそ、ネガティブな感情、消極的な感情を持つことの怖さやそれが無駄であることを学んだ。それは、実際に苦労しなければ、たどり着けない貴重な答えだ。

今はいい流れに乗れていても、必ず悪い流れのときが来る。何度も繰り返しているけれど、悪いときこそ自分が1ランクも2ランクも成長できるチャンス。だから、僕はいつも苦労が来るのを待っている。そのときの準備をしながら、待っているんだ。

壁は成長のチャンス。だから壁が好きだ

自分の強みを発揮したいと考えても、チーム全体のバランスもある。僕のポジションはディフェンダーだから、強引なプレーをすることで失点を招く危険性も高い。試合の流れを読み、チームメイトの状態を確かめ、彼らを活かすプレーを選択する。そんな判断力、考えるスピードと質を上げなければ、上へは行けない。チェゼーナで試合を重ねながら、

僕はそう感じていた。

「世界一のサイドバック」になるという目標を実現するために、僕にはやるべきことがたくさんある……という思いは、イタリアへ来る前から抱いていた。しかし、イタリアでプレーを始めたことで、具体的な課題をどんどんと見つけることが出来る。

レベルの高い環境に身を置いても、「自分にはなにが足りないか」を感じとらなければ、成長は出来ない。そして、足りないなにかを明確に分析し、具体的なテーマへと変えていく力も必要だと思う。

Jリーグで東京ヴェルディのフッキと対戦したとき、彼の強さに驚いた。ドンとぶつかっても身体の軸がブレない。身体を当てるタイミングの問題なのか？　いろいろと考えた。「お尻の筋肉の違いなんだ」と気づき、僕もそこを鍛えた。

具体性を持たせるために、課題を細分化する。ひとつひとつの課題は小さくなるが、数は増える。「こんなにたくさんあるのか」と思い、やる気がうせるという人もいるかもしれないけれど、僕は嬉しい気持ちになる。

「これをひとつひとつ乗り越えたら、僕は成長出来る」

小さな課題をクリアーしながら得られる達成感が、次のチャレンジへと僕を向かわせる。

目の前に大きな壁、困難が立ちはだかったとしても、考え方は同じ。問題点を見極め、やるべきことを見つけ出し、ひとつひとつ解決していく。

壁は成長のチャンスであり、きっかけ。だから僕は壁が好きだし、壁に出会いたいと、挑戦を続けている。

サッカーでは同じことは2度も3度も起きないと言われている。

試合前に約束事を決めてもそのとおりに試合は流れない。状況に応じて、どういうプレーが必要なのかを選手同士がすりあわせる作業が不可欠だ。イタリアに渡り、そういうときに言葉の壁を感じた。とっさに言いたいことが言えないのだ。でも、だからといって黙っていては、コミュニケーションは深まらない。

「なんで、今、ボールを出さないんだ」

僕がフリーの状態で待っているのに、シュートを選択したり、パスを出さず、得点機を潰《つぶ》してしまった選手には、即座に大きな声でアピールする。言葉にならなくても、名前を叫ぶだけでもいい。そうやって、「僕はここにいる」「お前のプレーに納得出来ない」ということを示さなければならない。

外国人は強く自己主張する。あからさまなミスをしても自分の失敗を認めない選手も多い。プロサッカーの世界は、生存競争が激しい仕事場だからなおさらだ。練習中からケンカみたいな言いあいはしょっちゅうあるし、激しい当たりでぶつかっていくのも当然のこと。練習のミニゲームでも本番さながらの迫力でボールをうばいあう。

みんな闘志むき出しでピッチに立っている。少しでも弱さを見せたら、自分のポジションはなくなる。上へのし上がっていくことも可能なら、下へ落ちていくスピードも速い。それが欧州のサッカーシーンだ。

だから、チャンスだと思ったら、誰もが迷わずシュートを打つ。パスのほうが効果的だと思ってもシュートを打つ。自分の活躍を欲しているためだ。

Jリーグとは比べ物にならない貪欲さに満ちている。

でも、貪欲さでも、負けず嫌いな気持ちでも、僕は彼ら外国人選手に劣っているとは思わない。だから、遠慮なんてないし、アピールもためらわない。イタリアへ来たからといって、自分を変える必要はなかった。

僕には誰にも負けない向上心がある。

そのことをチームメイトに示すことで、彼らは僕を信頼し、信用してくれた。言いあっても気まずくはならない。ピッチの中のことを外にまで引きずらないから、強い主張を気持ち良くぶつけあえる。

チームメイトになにかを要求するには、自分がしっかりとプレーしなくてはいけない。中途半端なことをやっている選手の主張は文句でしかないから、誰も受け入れてはくれない。

「あいつは頑張っている。だから言っていることも当然だ」

リスペクトしあう関係が築けているから、僕も主張できる。

試合直前、選手たちが一気に集中力を高めるシーンに、最初は驚いた。

大きな声でチームメイト同士が叫びあい、身体をぶつけあったりする。戦場へ向かう男たちそのものだ。戦うための準備が出来ている。ここまで気持ちを熱くして、のぞむのだから、試合中のメンタルも当然タフになる。こういう部分でも僕は学べる、またひとつ成長のきっかけを発見出来た。

イタリアに来て、日本との違いに戸惑うよりも、ここここそが自分が望んでいた環境だと嬉しくなることのほうが多い。イタリアが自分に向いているかどうかは、これからの僕次第だけれど、成長のためには最高の環境に来たことは確かだ。

セリエAでは毎シーズン下位3チームがセリエBへ降格する。チェゼーナは降格圏内を行ったり来たりという状況だった。

僕は2011年1月にカタール・ドーハで開催されるアジアカップへ出場する日本代表へ招集されることが決まっていた。同時期にセリエAの試合もあるため、クラブは当初、僕の代表入りを渋った。僕自身も気持ちが揺れたのは事実だ。しかし、最後には代表行きを認めてくれたチェゼーナのためにもアジアカップで結果を残したい。アジアカップで活躍することが恩返しになると考えた。

苦しみながら一歩ずつ前進することで強くなる

W杯後、日本代表の新監督に就任したアルベルト・ザッケローニさんは、セリエAのA

Cミランやインテル、ユヴェントスなど強豪クラブで指揮を執った経験を持つ監督だ。

イタリア人だが、日本人っぽい感覚の持ち主でもある。練習中からチームの雰囲気に気を配り、選手たちにも細かい指示を送ってくれる。

ザックジャパンは好スタートを切っていた。トレーニング時間が短いにもかかわらず、結果が残せていたのは、監督が前代表のベースをうまく引き継ぎながら、自分のサッカーを上乗せしようと考えていたからだと思う。

アジアカップを前に12月下旬から合宿が始まった。僕ら欧州でプレーする選手はシーズンを半分終えた状態。Jリーグでプレーする選手は12月上旬にシーズンが終了し、オフをとっている選手と1月1日の天皇杯決勝まで戦う選手がいる。

全員がそろわず、練習試合も行えない。たとえ練習試合であっても対外試合をすることで、チームはさまざまな課題が見つかり、それを修正するために、選手間のコミュニケーションの質も高まる。W杯とはセンターバックや攻撃陣の顔ぶれも代わっている。仲間を知り、仲間に知ってもらう時間が必要だったが、代表は大会前にそういう準備が出来なかった。そのうえ、選手のコンディションにもバラつきがある。不安要素を感じながら、アジアカップ本番を迎えた。

1月9日の初戦ヨルダン戦を引き分け、つづくシリア戦でも辛勝。不可解なジャッジから退場者が出たこともあったが、僕は慎重な気持ちで試合を戦っていた。ミスを恐れた消極的なプレーというのではなく、周囲のバランスに気を配り、状況を読みながらという意識。チェゼーナで思考の重要性を身につけたからだ。

それでも、日本語でコミュニケーションが取れる環境なので、試合を重ねる毎に意思疎通が深まっていく。1トップの前田遼一《まえだりょういち》さんがどんなタイミングでボールをほしいのかを知り、左ミッドフィルダーの香川真司《かがわしんじ》との関係も徐々に良くなっていった。グループリーグ3戦目のサウジアラビアとの一戦は、5－0と大勝。僕も1アシストをマークした。

このサウジアラビア戦では、松井さんと圭佑が負傷欠場。松井さんは試合後に帰国した。開幕前に帰国した槙野智章《まきのともあき》に続きふたり目の離脱者だ。負傷者だけでなく、出場停止の選手もいる。レギュラーとかサブとか関係なく、チーム一丸となって戦わなければならない状況が自然とできあがっていった。

W杯メンバーでない選手も初招集された若手も選手誰もが「チームのために」と献身的な思いで日々を過ごしている。南アフリカと同じような空気が生まれていた。

先制を許したカタールとの準々決勝は吉田麻也《よしだまや》が退場し、ひとり少ない不利な状況だったが、真司のこの日2点目のゴールが決まり、同点に追いついた。今大会10番を背負い、大きなプレッシャーと戦っていた真司のゴールは、チームメイトとしても嬉しかった。それだけになんとか勝利をもぎ取りたい。苦しい時間をしのぎながら、チャンスを待った。

「イノくん、あまり上がるなって監督が言ってる」

出場停止のウッチー（内田篤人《うちだあつと》）に代わり、右サイドバックとして先発した伊野波雅彦《いのはまさひこ》さんへ監督からの指示を送る。得点したいけれど、失点は許されない状況だったため、無理な攻撃参加は控えるようにということだ。

その直後だった。真司が放ったシュートを相手のゴールキーパーが弾く。転がったボールを蹴り込み、終了間際に逆転ゴールが決まった。しかし、喜びながら考えた。

「誰？　誰がシュートしたの？　エッ？　なんでイノくんが……」

上がるなというメッセージを送ったばかりの伊野波さんが、ペナルティエリアのそばにいて、シュートを決めていた。

「お前からの指示は聞いていたけど、来たって思って……」と試合後の伊野波さん。僕、2度見したからね。本当にびっくりしたから。


準決勝の相手は、今大会の優勝候補一番手と言われていた韓国だ。前線の選手が激しく入れ替わる迫力ある攻撃は、今まで戦ってきた相手とはレベルが違う。それでも韓国にもウィークポイントはある。

「右サイドバックのチャ・ドゥリを突く」

それは僕のスペースを指している。ザッケローニ監督からの指示に僕は燃えた。

「僕がボールを持ったときに真司がうまく動いて作ったスペースを狙おうと監督と話した。韓国には戦い甲斐のある選手が多い。でも僕も真司もプライドがある。勝てる自信を持っているから、しっかり左サイドを制圧したい」

試合前日にメディアにそう宣言した。


先制ゴールを決めたのは韓国だったが、動揺はなかった。

左サイドで真司がボールをキープ。僕はその外側を走る。真司からボールを受けた圭佑が、一瞬ドリブルのスピードを弱めて、相手をひきつけて、瞬時にチャ・ドゥリの横のスペースへパスを出す。圭佑のパスをイメージし走っていた僕はボールを受け、ペナルティエリア内へ侵入。ディフェンダーのタックルが迫るその直前にパス。それを前田さんが決めてくれた。前半29分同点に追いつく。

「緩急のスピードを活かして、相手の裏を狙おう」

試合前に圭佑たちと話していたとおりのプレーだった。最初はスピードを緩めて、裏へは走らないという風に見せ、相手がボールウォッチャーになったところでスピードを上げ、うまく抜け出した。チャ・ドゥリの目線や身体の向きは常に見ていたので、いいランが出来た。そこからはスピードを殺さず、いいタイミングでパスが出せた。

1－1で迎えた延長戦で1度リードしたが、試合終了間際に同点ゴールを決められ、試合の決着はＰＫ戦へ。日本は圭佑とオカが決め、川島永嗣《かわしまえいじ》さんは韓国のキックを2本連続で止めた。3番手のキッカーとして、僕はペナルティサークルにボールをセットする。身体は動いていたし、緊張感もなかった。しかし、僕の蹴ったボールはゴール左上を越えていく。外してしまう。左上スミの難しいところを狙った。狙い過ぎた結果、力みがボールに伝わってしまったのだ。

それでも、韓国の3番手キッカーが外し、日本の4番手の今野泰幸《こんのやすゆき》さんが、冷静に決めて、日本の決勝進出が決まった。

目標を達成した瞬間、次の目標が見えてくる

「明日はサムライになりますよ」

決勝戦前日、僕は報道陣の前で話した。韓国戦で負傷した真司もすでに帰国していた。多くの人たちの思いを背負い、決勝のピッチへ立つ。日本は2000年、2004年大会とアジアカップを制している。王者奪還の意志は強い。

この大会の優勝国は2013年ブラジルで行われるコンフェデレーションズカップへの出場権を手に出来る。各大陸の王者が集うコンフェデレーションズカップは、翌年のW杯ブラジル大会へ向けた貴重な真剣勝負の場だ。

アジアカップ決勝戦で勝つか負けるか、その結果がもたらすものの違いは大きい。タイ

トルを手にすることではじめて、勝ち続けた激闘の経験が意味を持つ。積み重ねてきた自信が自分たちのものになる。

そんな気持ちで1月29日オーストラリアとの決勝戦の舞台に立った。

オーストラリアは高さを活かした鋭いカウンター攻撃が最大の武器だ。わずかなチャンスできっちりとゴールを決めてしまう。日本がボールをつないでいても失い方が悪ければ、一気に失点ということが十分考えられる相手。リスクマネージメントが重要になる。

試合は両チームともに慎重な立ちあがりとなり、0－0のまま前半が終わる。

後半途中、日本はメンバー交代し、センターバックだった今野さんが左サイドバックへポジションを変える。そして僕はひとつ前の左のミッドフィルダーでプレーすることに。

何本もシュートを外しているオーストラリア選手にも疲労が見えてくる。

スタミナで負けるわけにはいかない。相手陣地へと駆け上がり、攻撃に参加した僕は、何度かシュートシーンを演出したが、得点は奪えず、試合はまたしても延長戦へ。

オーストラリアはロングボールを前線に蹴り込むパワープレーを繰り返している。日本ディフェンス陣は冷静にそれを跳ね返す。

延長後半4分。遠藤さんからパスを受けた僕は、相手を交わし、前線へと侵入。僕の動きにディフェンダーがつられている。ゴール前のスペースに李忠成《りただなり》が顔を出している。手前のディフェンダーに当たらないように……そう意識しながら速いクロスボールを送った。チュンくん（李）の見事なボレーシュートが決勝点となり、日本のアジアカップ優勝が決まった。

勝って大会を終わるのは本当に気持ちがいい。カップを手にしてチームメイトと喜びを分かちあった。負傷帰国した選手たちのユニフォームを手にピッチを走る。先発も控えもなく、全員で獲得したタイトル。南アフリカでの経験をつなげたという充実感がある。

ロッカールームへ戻り、シャワーを浴び、ユニフォームを着替える。時間の経過と共に、興奮が収まってくる。それにつれて、僕の心を支配したのは、喜びではなく、静かな闘志だった。

「サムライになれましたか？」と報道陣に問われても、声は弾まない。

「重みのある刀を1本手に入れたけれど、中くらいのサムライですかね」

2月2日にはセリエAの試合がある。優勝の余韻に浸っている場合じゃない。アジアの先には世界があり、僕は上を目指さないといけない。やらなくちゃいけないことがいっぱいある。自分自身を追い込んでいく厳しさ、自分自身との闘いが待っている。世界一のサイドバックになるために、時間はない。

アジアカップ開催中の1月は欧州内の移籍マーケットがオープンしていた。欧州では夏と冬、年に2回しか移籍が出来ない。

「ナガトモ、ACミランへ」と新聞で報道されたこともあったが、クラブ間交渉が難航し、成立には至っていないという。より高い評価を得るために、チェゼーナで頑張るしかない。そんな思いを胸に、イタリア行きの飛行機に乗った。

第7章　一心不乱

世界一のクラブの一員として成長出来るかは自分次第なんだ

「ミラノへ行ってくれ」

電話を受けたのは、２０１１年1月31日だった。

アジアカップ決勝戦を終えた翌早朝にカタール・ドーハを旅立ち、イタリア・チェゼーナへ帰宅した翌日のことだ。

「昨日夜、インテルから佑都を獲得したいと連絡があった。今、ミラノで両クラブの会長が話しあっている」

そんな事情を聞かされても、いまひとつピンとこない。

「インテルってインテルが？　僕を？」

午後、車でミラノへ向かった。

インテルはインテルナツィオナーレ・ミラノという正式名称を持つイタリアを代表する強豪クラブ。１９０８年に創設され、セリエAで18度優勝。しかも２００５‐２００６シーズン以降、5連覇を達成している。2009－2010シーズンは欧州チャンピオンズリーグでも優勝し、コッパイタリアを含めてイタリア勢初の3冠を獲得。2010年12月のFIFAクラブW杯で世界王者に輝いたばかり。名門中の名門であり、まさに最強と言えるクラブだ。

シーズン途中の冬のマーケットで獲得する選手は、即戦力の意味あいが強いと言われている。12月下旬、首位との勝ち点差6の5位という成績でベニテス監督を解任したばかりのインテルは、レオナルド監督を招聘《しょうへい》し、後半戦での巻き返しのため、すでに数人の選手を補強していた。

「そんなクラブが僕を必要としてくれているのか……」

正直なところ最初はどこか夢見心地という感じだったけれど、ミラノのクラブ事務所で、契約条項についての説明を受けながら、移籍話がどんどん現実味を帯びていることを実感していた。年俸、移籍金、インテルからチェゼーナへレンタル移籍する選手の話、契約内容、契約のオプション。飛び交うイタリア語。まわされる書類の数々。移籍マーケットは19時には閉まってしまう。それまでに契約を成立させなければならない。両クラブのスタッフ、そして代理人たちが懸命に作業を進めている。

「じゃあ、佑都、ここにサインを」

スタッフに促《うなが》されて、僕が書類にサインをする。関係者のサインがそろい契約が成立したのは、締切数分前だった。


この席上で、インテルの強化責任者であるマルコ・ブランカさんは、僕にこんな話をしてくれた。

「我々は、日本のスポンサーやサポーターを増やしたいから、佑都を獲得するわけじゃない。インテルの補強リストには常に各ポジション10名近くの選手の名前がある。君の名前はW杯南アフリカ大会が終わったころから、リストにありずっと長友佑都という選手をリサーチしていたんだ。チェゼーナのフィッカデンティ監督や日本代表のザッケローニ監督からもさまざまな情報を得ていた。彼らは君に対して高い評価を口にしている。

私自身も君のファイティング・スピリット溢《あふ》れるプレーに注目していた。もちろん運動量やスピードも魅力だけれど、どんな問題にぶつかってもへこたれない強さが君にあると考えていたんだ。当然、まだまだ身につけなくちゃいけないことは多い。でもまだ24歳だ。

これからインテルでどんどん成長してくれることを期待しているよ。レオナルドも佑都がインテルへ来ることをとても喜んでいる」

嬉しかった。

僕を評価してくれているという事実も嬉しいが、この喜びはそれだけが理由じゃない。ジョカトーレ（イタリア語でサッカー選手の意味）としての技術や能力だけでなく、僕が歩んできた道のり、僕の生き方を理解してくれていることが伝わってきたからだ。

苦しい思いをしながら、信じた道をただただひたすらに走り、闘ってきた日々。その小さな積み重ねをブランカさんはわかってくれている。

「僕は、どんな困難や壁にぶつかっても、へこたれるような男じゃないですよ‼」

そう胸を張って言いたい気分だ。しかし、そのときは黙って笑っていた。言葉で伝えるのではなく、これからの自分の姿でそれを証明するべきだと思ったから。

「インテルが僕を獲得したことが間違いじゃないということを証明したい」

契約終了後にクラブのホームページで発表された移籍成立のニュース用のインタビューで僕はそう語った。一気にトップクラブへ移籍すれば、大変なことも当然あるはずだ。でもその大変さも楽しみたい。成長のための大きなチャンスなんだから。

違いを感じることは、改善のきっかけになる

2月1日、メディカルチェックを受け、翌2日インテルの練習に合流。2月3日アウェイでのバリ戦が予定されていた。

まず驚いたのは、シュートゲームをやっているときだった。ミニコートでのトレーニング。バンバン、シュートが決まり続けていく。打てばゴールという感じで確率は100％に近い。もちろんチームメイトの技術が高いことは想像していた。それでもこんなにシュートが決まる練習は日本でも、チェゼーナでも体験したことがなかった。試合前でリラックスしているように見えて、シュートに対する高い意識が伝わってくる。

「マジかよ‼」

スナイデルのシュートに度肝を抜かれた。

サイドからグラウンダーのパスを受けたスナイデルが一瞬の脚の振りで、コースを狙ってシュートをゴールへ蹴り込む。それは普通だったら、「少しズレたから蹴れない」とい

うようなパスだ。それをありえない体勢から、きれいに流し込んだ。パスをどういう形でシュートへ持っていくのか、瞬時にイメージを描き、そのとおりに身体を動かす。判断力や技術の確かさを証明する一撃に、目を見張った。

日々こういう練習をやっているからこそ、試合でもその力を発揮できる。スーパープレーが偶然でないことを思い知った。

「こんな選手たちの中でやっていけるのか」

一瞬頭の中にそんな思いがよぎる。しかし、足元にボールが来た瞬間、弱気は消え去る。

「やってやろうじゃないか。世界一のサイドバックになるために、僕はここへ来たんだ。今は差があって当然。ここから這い上がっていくだけだ」

衝撃はこれから始まる毎日に対する興奮へと変わった。今は大きな差や違いがあっても、少しずつ段階を踏みながら向上すればいい。努力すべきこと、壁がたくさん見つけられることが嬉しい。


2月3日対バリ戦。ベンチ入りしたけれど、出場はなかった。しかし、この試合で左サイドバックのキヴが4試合の出場停止処分を受けた。

2月6日ホームでのローマ戦で先発かと報道されたが、ベンチスタート。6万人のサポーターに埋め尽くされたサンシーロのベンチに座った。黒と青のシャツを着て、ネラッズーリの一員として。試合前のアップのときから、興奮していた。「ピッチに立たせてくれ」とずっと監督に念を送るような状態だった。

インテルのホームスタジアムは正式名をジュゼッペ・メアッツァというけれど、旧名であるサンシーロのほうが馴染《なじ》み深い。そして、ネラッズーリとは、クラブカラーのネロ（黒）とアズーロ（青）からきているインテルの愛称だ。

4－1とリードした後半30分、スナイデルと交代しピッチへ立った。心が震えた。緊張感はあったが、それを上回る闘争心、エネルギーが湧《わ》いてきた。相手がひとり退場し、インテルがリードしている状況だったので、攻撃に出て行こうと積極的にしかけた。

5－3の大勝で試合を終えられたときは、正直ホッとした気持ちでいっぱいだった。だから、試合後にはお辞儀のパフォーマンスを披露する余裕もあった。サネッティがいつも僕にお辞儀をしてくれるので、それをサポーターの前でやってみせたんだ。

移籍から1週間も経たず、デビューしたことで、自信を得られたし、監督からの信頼を確認することが出来た。

僕はこんなもんじゃない

続く2月13日、ベンチスタートしたイタリアダービーと言われるユヴェントス戦でも監督の思いは感じられたが、同時に大きなプレッシャーとの闘いが始まった。

先制点を許したインテルは、守りを固めるユヴェントスに手を焼いていた。時計の針が進む中、レオナルド監督が僕を呼んだ。0－1で負けている状況でピッチに立ったのは後半28分。ローマ戦とはまったく状況が違う。勝利のためには得点も必要だが、失点しては意味がない。最初に自陣でボールを受けたとき、僕は前へのパスではなく、バックパスを選択した。続く二本目でも同じプレーをしている。

失点出来ないという思いが、僕のプレーを堅くする。ボールを失わないことを念頭において慎重にプレーしていた。

負けている状況で起用された事実は、監督が僕に対して大きな期待をしてくれたということ。しかし、監督の思いに応えられず、試合は0－1のまま終了する。

悔しさがこみ上げた。情けないような気分にもなった。

それでも試合は待ってはくれない。

この時期、インテルは未消化試合などもあり、試合が立てこんでいた。加入以降ずっと週2試合ペースが続く。試合が多いとどうしても練習メニューは軽減され、フルコートでのトレーニングは行っていなかった。

チームメイトに自分を知ってもらうこと、チームメイトを知るというコミュニケーションを深めることはおろか、チーム戦術を理解する機会も少ない。

試合を重ねながら、さまざまなことを理解し、習得するしかない。

フィオレンティーナ戦、カリアリ戦に先発したが、大したプレーは出来なかった。戸《と》惑《まど》いというか、手探り状態が続いていた。

ディフェンダーである僕は、チームのバランスを考える必要がある。チームとして遅攻を選択しているのに、ひとり闇雲にオーバーラップして、前線に走り出すことは出来ない。今、チームメイトがなにをイメージし、どんな戦いを選択しているのか、それを察知しながらのプレーが続く。

なかなか自分のプレーを発揮するタイミングがつかめないでいた。

ボールをもらったとき周囲がどんな風に動き出すのかがわからないから、瞬時に判断出来ず、考えてしまう。そうするとプレーが遅くなり、パスコースをふさがれてしまう。

「やっぱり日本人はこの程度なのか？」

イタリアメディアのネガティブな報道が目につくこともある。

移籍加入直後は、「歴史的な事件だ」と初めてビッグクラブに日本人が加入したことを派手に報道したメディアは、熱が冷めるのも早い。もちろんシビアな評価にウソはない。「僕はまだまだなにも出来ていない」と歯がゆさが増す。

2月23日には欧州チャンピオンズリーグ決勝トーナメント1回戦ファーストレグ、ホームでのバイエルン・ミュンヘン戦が行われたが、終了間際に失点し敗れた試合をベンチで見ているだけだった。

ヨーロッパの上位クラブが国境を越えて戦うチャンピオンズリーグは、誰もが立てる舞台ではない。しかもその決勝トーナメントに出場できるのは欧州でも16チームだけ。文字どおり特別なステージだったが、そこに立つ力が僕にはまだないのだと思った。だからこそ、余計に3月のセカンドレグへ向けて気持ちは高まった。

2月27日セリエAサンプドリア戦では、負傷したマイコンに代わり、右サイドバックで先発出場し、2－0と勝利。先発した試合はすべて勝っていることがせめてもの救いだ。

そして出場機会を与えてもらえることにも感謝していた。やはり実戦でプレーすれば、練習以上に多くのことが学べる。小さなプレーでもいい、うまくいけば自信になる。逆にうまくいかないことを発見し、修正のための会話、コミュニケーションのきっかけが生まれるのは、試合という本番だからだ。

まだまだ自分のプレーが出せていない。僕はこんなもんじゃない。

もっと思い切ったプレーで自分を表現しなくちゃいけないと僕は考えていた。

結局のところ自分との戦いに勝たなければダメなんだ。

選手として超一流な彼らは人間としても超一流

3月3日、4日とインテルに入って初めて、連休をもらった。

連戦で時間のない僕に代わってスタッフが見つけてくれた新居で、久しぶりにのんびりとした時間を過ごし、「疲れていたんだなぁ」と実感した。

年末から始まった代表合宿、そしてアジアカップ。イタリアへ戻った直後の移籍。イタリア国内での移籍だったけれど、加入直後から試合が続いたし、目に見えないプレッシャーはやはりチェゼーナ時代とは違う。

レベルの高い選手たちの中での練習は、気が抜けない。求められるものの質が違うし、周囲のプレースピード、シンキングスピードにあわせなくちゃいけないから、とにかく、緊張が続き、アドレナリンが出続けている状態だった。ミラノへ来てからしばらくはホテル暮らしが続いていたが、それを不自由だと感じるひますらなかった。

吸収したいことが山のようにあり、吸収すべきことも次々と出てくる。頭も身体もフル回転の毎日だった。でも僕はそれを求めてイタリアへ来た。現実を受け入れて、やるべきことに100%でとりくむしかない。

インテルの練習場はミラノ中心地から車で1時間弱の郊外にある。広い敷地内は部外者の立ち入りが禁止され、記者ですら、監督会見とかイベントがあるときにしか中へ入れない。ピッチはもちろん、ロッカールームやトレーニングルームの設備も立派。さすが世界一のクラブは違う。

イタリアだけでなく、ブラジル、アルゼンチン、オランダなど、世界の強豪国、W杯出場常連国の代表選手たちが名を連ねるインテル。しかも30代のベテランが多い。プライドも相当高いに違いない。日本人なんて相手にされないいんじゃないか、きっと溶け込むのに時間がかかるだろうなと覚悟していた。

でも、そんな予想は初日の練習で吹っ飛んだ。ガチガチに緊張していた僕にサネッティがお辞儀をしたんだ。同じようにお辞儀をした僕にみんながどんどん声をかけてくれた。ロッカールームで音楽が流れれば、一緒にダンスをしたり、仲間として受け入れてくれる。サッカー後進地域のアジアの小さな国からやってきた僕を馬鹿にするような選手はいない。インテルの一員として、リスペクトしてくれている、認めてくれていることが伝わってきた。

選手として超一流と言われる彼らは、人間としても超一流なんだと思った。

中でもキャプテンのサネッティの存在は大きい。彼は自分のことよりもチームのことを一番に考えている。少しでも雰囲気が悪くなりそうになると率先して盛り上げようとするんだ。そんなキャプテンを中心にインテルはまとまっている。

今年38歳のサネッティは1995年にインテルへ来た。16年も在籍しているから、サポーターからものすごく愛されている。そして今でも現役アルゼンチン代表だ。

日本では30歳を超えるとベテラン扱いされるけれど、練習でも試合でも誰よりもエネルギー溢れるプレーをするサネッティを見ていたら、そんな固定観念がなくなる。自分に限界を作らず挑戦し続けるサネッティの存在は、僕のサッカー人生にとって重要なことをたくさん教えてくれるはずだ。


「佑都、どうしてそんなに身体が柔らかいんだ？　みんな、見てみろよ、スゴイぞ、こいつ‼」

僕がストレッチをしているとき、マテラッツィが騒ぎだした。

「ちょっと、さっきの形、もう1回やってみて」

スナイデルは携帯電話で動画を撮ろうとしている。

「これが出来るようになったら、足が速くなるよ」

僕がそう言い返す。

そんな感じで、いろいろとからんできてくれる。試合前日にホテルで前泊するとき、部屋まで僕のストレッチを見に来ることもあるから。どれだけ、珍しいんだって感じだけど。

僕が最高のサイドバックだと目標にしていたマイコンもチームメイトになった。ベンチに座っていてもついつい、マイコンのプレーを観察してしまう。攻撃のアイディアが豊富で、周囲の選手を活かすパスを絶妙のタイミングで出す。わずか一瞬でも見逃さない視野や駆け引きのうまさは、本当に勉強になる。

でも今や同じチームの一員。「右サイドバックのマイコンはいいけど、左はダメだな」とは言われたくないし、ライバルとして負けたくないという気持ちも強くなった。僕にしかできないプレーがあると思うし、「目標」という気持ちだけでは、ここで生きていけない。

少し鈍感なくらいでちょうどいい

チェゼーナでは、何時間もバスに乗って移動するのが当然だった。でも、インテルでは国内でもチャーターした飛行機で移動する。空港へ乗り入れたチームバスがそのまま機体に横づけされたときは、びっくりした。でも、欧州のビッグクラブでは当然の環境らしい。

敵地へ到着しても空港にはチームバスが待機している。いったい何台あるんだって思うくらい、陸路の移動はインテルカラーのバスに乗る。

そしてチームバスでスタジアム入りするときは、通り過ぎる車が「頑張れよ」という感じでクラクションを鳴らしてくれる。スタジアムへ近づくとインテルファンの歌声が聞こえてくる。これがアウェイなら大ブーイングの中、スタジアム入りすることになる。

声援であれ、ブーイングであれ、伝わってくるサポーターの熱を肌で感じるこの瞬間、インテルの選手であることを実感する。メディアの数も多い。とにかく注目度が違う。

対戦相手もインテル戦には特別な思いで挑んでくる。

それは僕自身がチェゼーナで強豪クラブと対戦するときに抱いた思いだから、想像出来る。そういうガムシャラな相手にキッチリと力の差を見せつける。独特なオーラを漂わせ、追随《ついずい》を許さない。それがインテルであり、真の強豪。サッカーがうまいだけでなく、強《きょう》靭《じん》なメンタリティを持った選手が集まっている証だ。ビッグクラブに在籍しているという自覚と責任感。プレッシャーをはねのけるタフなメンタルが選手には求められる。

試合が劣勢になっても、常に落ち着いているチームメイトを見ていても彼らの図太さを実感する。経験がもたらす余裕なのかもしれないが、どんなことにも動じない。

あまり敏感になりすぎちゃいけないんだなと思った。ちょっと鈍感なくらいのほうがいい。周囲の声には雑音もある。細かいことに気を使いすぎると重要なところで力が出せないのかもしれない。

久しぶりの休日。いろいろなことを考えた。

そして、また同じ思いにたどり着く。そして決意する。

もっと自分らしくプレーしよう。

裏のスペースへのパスを要求し、サイドを駆け抜ける姿勢をチームメイトに示さなくちゃいけない。自分のストロングポイント、特長を出していかなければ、僕はここで生き残ってはいけない。

リスペクトする気持ちが人間関係を良好にする

3月6日ジェノア戦。途中出場から決めたゴールで、自分の決意を表明出来たように思えた。イタリアへ渡り8カ月。初ゴールまでには時間がかかった。でも、チェゼーナで過ごした時間があったからこそ、インテルでの僕がいる。

「日本人に対して多くの偏見がある中、長友はそれをはねかえした」

僕の得点に対して、レオナルド監督が試合後、そうコメントしてくれたと聞き、本当に嬉しかった。彼のもとでプレーできる幸せを噛《か》みしめた。


41歳のレオナルド監督は、端整な顔立ちに似あわず、めちゃくちゃ熱い。そして、発する言葉の端々から、誠意が伝わってくる。監督を表現するには、〝いい人〟という言葉しかない。チームメイトも監督のためにという思いで戦っている。

細かい気配りが出来るところは日本人監督に近いと感じることも多い。現役時代に鹿島アントラーズで3年間プレーしたこともあり、今でもとても日本のことを愛している。僕がなかなか結果を残せないでいたときも、辛口の評価をするメディアに対して「ナガトモはビッグクラブでプレーする初めての日本人だから、周りの目は自然と厳しくなる。でも、私は彼のプレーが日々良くなっていると考えている」と語ってくれたそうだ。

欧州でプレーした多くの日本人が偏見と闘ってきた歴史を監督は理解しているし、日本人特有のメンタルも熟知したうえで、「お前の特長をアピールしてこい‼」と僕をピッチへ送り出してくれる。

ゴールを決めたことでそんなレオナルド監督の期待にやっと応えられてよかった。

僕はどのチームでもいい指導者、監督のもとでプレーしてきたと思う。すべての人が僕を成長へと導いてくれたんだ。

僕はまず、「監督を好きになろう」と考える。やっぱり監督をリスペクトする気持ちがないと、その監督のもとでは闘えない。「なんだ、この監督」と思っていると、それがプレーに出る。

確かに試合に使ってもらえないと監督を批判する選手もいる。でも本当にスゴイ選手だったら、使ってもらえる。自分がダメだから起用されないだけなのに、それを監督のせいにするのはおかしい。

僕は今まで、監督のことを嫌いだと思ったことがない。出会いに恵まれているからかもしれないが、誰が監督になっても僕はリスペクト出来ると思う。

それは、監督だけじゃなく、チームメイトや友だちに対しても同じ。他人の悪口を言うのは好きじゃない。人間誰にでもいいところもあれば、そうじゃない部分もある。つきあっていくのなら、いいところをたくさん見つけてつきあいたいと、いつも考えている。

「佑都の武器は、スピードでもフィジカルでもなくて、相手の懐に入っていく力だよね」

インテルでチームメイトと楽しくやっている僕を見て、事務所のスタッフが言った。「どこへ行っても仲間といい関係が生み出せる。それはひとつの才能」というわけだ。

もし、僕にその力が備わっているんだとしたら、それは、相手をリスペクトしようといつも考えているからかもしれない。そして、今まで、家族をはじめ、たくさんの人たちが温かい愛情を持って、僕を育んでくれたからだ。

中学時代、ウソ偽りのないまっすぐな思いでぶつかりあう人間関係の熱さや感謝の心を学べたことも大きい。誰かを思い、大切な人のために闘う。そして誰かとつながっている。ひとりじゃないといつも感じられる。だからいい仲間に出会えるのかもしれない。

仲間がいるから、僕はサッカーが出来るし、活躍することも出来る。

そしてサッカーというスポーツが持つ力を改めて痛感する出来事が起きた。

僕にしか出来ないことがある

3月11日、僕はその夜に行われる試合のため、ブレシアのホテルで目覚めた。そして、知った。日本で大きな地震が起きたこと。津波が発生し、町をのみ込んでいく映像を見た。

「ミヤギ、イワテ、フクシマ……」

テレビのアナウンサーが話すイタリア語の中に、聞きなれた音が混じっている。ザワザワと冷たいものが背中を走る。東京へ何度も電話をかけたが、つながらない。

「すごく揺れたけど、大丈夫だから」

携帯電話にメールで返事が届いた。それでも気持ちは落ち着かない。

時間の経過と共に悲惨な現場の映像が次々とテレビで流され続けている。陽が落ち、真っ暗闇の中で火の手が上がっている。ごうごうと燃える炎の下には生活があった。浸水し、まるで海のようになった水の下には笑顔があったはずだ。しかし、荒れ狂う自然の猛威にすべてがなくなってしまったのか？　イタリア語の放送では、日本の状況のすべてを理解できない。歯がゆさが不安を増幅させる。

日本とイタリアとの距離は遠い。でも、僕の気持ちは日本へと飛んでいた。東北にゆかりのある知人の顔を思い浮かべる。僕自身も足を運んだ場所が今はもうなくなってしまったのかもしれない。

身体が震え、心が乾く。なにも出来ずにここにいることに虚しさを感じた。

前々日の練習で左サイドバックのギヴが太ももを痛め、ブレシアには同行していなかった。僕には先発出場の可能性があった。だから、いつまでもテレビの前に座ってはいられない。試合の準備、戦う準備をしなければならない。

でも……。

果たして集中出来るのだろうか？　不安に心が揺れる。

「佑都、大丈夫か？　家族は問題ないのか？」

チームメイトが次々と言葉をかけてくれる。

「うん、大丈夫」

そう応えながら、僕は思った。

迫りくる恐怖と闘っている人がいる。

すべてを失い、家族と離れ離れになり、寒さの中で震えている人がいる。

絶望と悲しみに包まれ、涙を流している人がいる。

ピンチに立たされている日本のため、僕にも出来ることがある。僕にしか出来ないことがある。

ピッチで戦い、明るいニュースを届け、みんなに元気と勇気を届けたい。

出来ることは限られているけれど、自分がやるべきことを精一杯やるだけ。それが僕に課せられたミッションなんだ。


「長友の母国、日本で震災があったことをお悔やみ申し上げます」

試合前、アウェイにもかかわらず、場内アナウンスが流れた。喪章をつけ、日本人であることを誇りに思い僕はピッチに立った。困難に立ち向かう大和魂、日本人の強さを示したいと誓った。

「このゴールは日本のみんなに捧げるよ」

先制点を決めた直後、エトーが僕のそばへやって来てそう言った。胸が熱くなって、「グラッツェ」というのが精一杯だった。

諦めない思いを日本へ届けたい

イタリアでもずっと震災のニュースが報じられていた。地震と津波だけじゃなく、原発も問題を抱えている。日本では、日を追うごとに高まる悲しみや恐怖と、みんなが闘っている。

諦めちゃダメなんだ。諦めない気持ちを届けたい。

ミュンヘンのホテルで15日にブログを書いた。

「こんな時こそ、夢や希望を与えられる人間でありたい！

みんなから貰ったものを返していきたい。

小さな事かもしれませんが、このブログを見て少しでも元気になってくれたら、この上なく嬉しいです！」

3月15日、チャンピオンズリーグ決勝トーナメント1回戦セカンドレグ。バイエルンのホームでの一戦。僕らインテルは勝利することしか考えていなかった。勝たなければ次のステージへは行けないのだ。

「私たちは日本の皆さまと共にいます」

キックオフ前、日本語で書かれた横断幕を掲げ、黙とうを行った。僕はベンチスタートだったけれど、気持ちはピッチに立っているチームメイトと同じだ。

前半3分エトーが先制点をマーク。しかし、同21分、同31分にバイエルンが反撃し、2－1に。後半18分、スナイデルのゴールで同点に追いついた。

後半42分、僕はキヴと交代し、ピッチへ飛び出した。残り時間はわずかだが、同点のままでは敗退してしまう。

「お前の攻撃力を見せてくれ」

レオナルド監督はたった一言そう指示しただけだ。

ディフェンス陣がボールをキープした瞬間、僕は左サイドを駆け上がった。ロングボールがペナルティエリア内のエトーへ渡る。躊躇《ちゅうちょ》することなく、エリアへ侵入した僕にバイエルンのディフェンダーの注意が引きつけられる。右に生まれたスペースへエトーがすかさずパスを出し、飛び込んできたパンデフが、きれいにゴールへと蹴り込んだ。

土壇場での逆転劇にスタジアムは静まり返る。4分というロスタイムを経て、インテルの準々決勝進出が決まった。

試合終了後、僕はベンチへ走り、メッセージを書いた日の丸を掲げた。

「どんなに離れていても心は一つ。一人じゃない。みんながいる！　みんなで乗り越えよう！　You'll never walk alone」

すると、場内に「You'll never walk alone」が流れ始めた。欧州を中心に世界中のサポーターが試合前などに歌う曲で、ＦＣ東京でも毎試合歌っている。いくつかバージョンがあるらしく、ミュンヘンで流れたのはＦＣ東京と同じバージョンだった。

「最後まで諦めない姿勢を見せられた。本当に勝てて良かった。世界が日本を心配してくれて、すごく嬉しい。日本人で良かった。ああいう場面でディフェンダーを代えることはなかなかない。僕にチャンスをくれた監督に感謝している。逆転ゴールは、日本のみなさんへのプレゼントだと思う。準々決勝は、ウッチーのいるシャルケと当たりたいね。日本人ふたりが試合に出れば、日本のみなさんを喜ばせられると思うから」

試合後、メディア対応でそう話した。

自分が成長すること、それがみんなへの恩返しになる

3月29日、日本代表対Jリーグ選抜が対戦する、東北地方太平洋沖地震復興支援チャリティーマッチが大阪の長居スタジアムで行われた。

体調を崩していた僕は前日練習にしか参加出来なかった。でも、日本のみんなのために帰国したのだから、試合には出たかったし、とにかく〝気持ち〟を伝えたいと思い、先発としてプレーした。


第1節だけをやり、その後リーグ戦が中断しているJリーグの選手はコンディション調整も大変な状態だったと思う。そして日本代表は新しいシステムで戦った。お互い万全ではない部分もあったと思うけれど、本気でぶつかりあう熱い試合が出来た。

最後にはカズさんの見事なゴールも決まり、サポーターだけでなく、僕ら選手も盛り上がった。44歳という年齢に関係なく、あの場面でチャンスをゴールにつなげたカズさんはやっぱりKINGと呼ぶにふさわしい。そんなカズさんをはじめ、Jリーグ選抜には俊さ

んやたくさんの先輩たちがプレーしていた。日本のサッカー界を引っぱってきた先輩たちがいるから、僕らがプレー出来ている。感謝の気持ちは大きい。だからこそ、試合後カズさんに「お前らに任せたよ」と言われたことは、本当に嬉しかった。

「お前が持っているそのボールは、チームメイトが懸命につないでくれたボールなんだ。心で蹴れ」

中学時代、井上先生が言っていた言葉がよみがえる。ひとつのボールで僕らはつながっている。サッカーはひとりではできない。誰かがミスをしたら、誰かが補う。チームのために走り、チームのために身体をぶつける。そういうプレーが積み重なって、見事なゴールが生まれる。

長居のピッチに立てなくとも、地元で募金活動などを行っているJリーグの選手も多い。世界中のフットボーラーが、日本のために「なにかしよう」と立ち上がり、想いをひとつにしてくれている。

そして、そんな僕らは、いつも多くの人たちの声援に励まされ、ピッチに立っている。

だから恩返しがしたい。

W杯南アフリカ大会が終わったとき「勇気をもらった」とたくさんの人たちに言ってもらえ、自分の仕事の意味を意識した。そして今、僕はその思いをさらに強くしている。

僕が成長すること、いいプレーをすることで、少しでも日本のみんなになにかを伝えることが出来たなら……それが恩返しになるんだと。

インテルで直面した壁を前に

チャリティーマッチを終えた翌日、僕はミラノへ戻った。

セリエAの首位攻防戦となるACミランとの試合を控えていた。スクデット獲得のためには絶対に落とせない一戦。メディアの報道も連日熱を帯びていた。チーム内にもいい緊張感が漂っている。

しかし、試合を前にした僕の心は揺れていた。

「大事な一戦で、果たしていいプレーが出来るのか？　ミスをしたらどうしよう」

代表戦とは異なるプレッシャーを感じ、弱い自分が顔をのぞかせていた。

ミラン戦はベンチスタートのまま、出場機会もなく終わる。インテルは0－3と敗れ、続くチャンピオンズリーグ準々決勝ファーストレグ、シャルケ戦では途中出場するもホームで2－5と大敗した。

インテルに来てからずっと、僕は「自分らしいプレーが出来ない。このままじゃ戦えない」と感じていた。ジェノバ戦でゴールを決めても「今の状態のままでは上へはいけない」という思いが、消えなかった。

今までの試合なら、それがW杯であったとしても出来ていたプレーが出来ない。たとえば、今まで見えていた場所が見えない。視野が狭くなっていた。もちろん相手からのプレスも速くなっていたけれど、それが原因ではなかった。

世界一のクラブの一員として、たくさんの人が期待を寄せてくれる。日本やインテルのサポーターだけじゃない。クラブ関係者や監督、チームメイトからの期待にも応えなくてはならない。そんなプレッシャーは過去に経験したことがなかった。そして、レベルの高いチームメイトたちの中では、練習中から一瞬も気を抜くことが出来ない。

「こういう厳しさを求めていたんだ。やってやる」と新しい環境を受け入れた。けれど、自分の中に生まれた不安は解消されなかった。

目の前に大きな壁が立ちはだかっている。これを乗り越えなければ、前へは進めない。壁をぶち破るためにはなにかを変えなくちゃいけない。そのなにかが見つかれば、絶対に良くなる。そう思って思考錯誤を繰り返した。

まずは足りない技術のことを考えた。居残り練習をして、技術を磨いた。しかし、それで即座に状況が変わるわけでもない。試合で少しいいプレーが出来たとしても、解決の糸口はつかめない。簡単に乗り越えられる壁じゃない。コツコツと時間をかけながら、磨いていく必要があることもわかっていた。でも、時間が解決してくれるとなにもしないで待ってもいられない。思いつく限りのことにトライした。

心の余裕を持つこと

ミラン戦、シャルケ戦という重要な連戦を戦いながらも僕は考えていた。思い出すのは、数日間滞在した日本での日々だ。

僕は日本にいる間、知人の協力で、被災地の子どもたちと電話で話す機会を作ってもらった。「自分がやれることをしたい」という気持ちしかなかったから、戸惑いはなかった。僕と話すことで子どもたちに笑顔が生まれるというのなら、傷ついた心をわずかでも癒すことが出来るのなら、行動するまでだ。

「大人になったらなにになりたいん？　どんな夢を持ってるん？」

僕は未来の話しかしなかった。大変な状況に立ち向かい、懸命に頑張っている彼らに「大変だけど、頑張ってください」とは言えない。

開口一番明るく話す子どももいたし、こちらがなにを言っても「うん」と答えるだけで精一杯という子もいた。携帯電話でつながった彼らに対して心をこめて話した。そして、いろいろな心に触れられた。

「子どもたちに笑顔を届けたい」という気持ちで始めたのに、逆に僕自身が子どもたちから元気や勇気、生きる希望を与えてもらった。

テレビで流れる被災地の映像も見た。家もなく、家族や職も失い、未来に不安を抱きながらも懸命に生きようとする人たちの心が感じられた。

まずは心があり、思考し、行動に移る。人は心で動いている。大切なのは心なんだ。

そして思った。この世に生かされている自分になにが出来るのか？　僕はなにをしなければいけないのか?　と。

インテルには、サッカー選手として大きな成功を収めている選手が多い。そんなチームメイトと過ごす中で、彼らが大きな結果を残せているのは、高い技術や能力だけが理由じゃない。素晴らしい心を持っているからだと感じていた。

サネッティやエトーは恵まれない子どもや貧しい人たちを助けるためのボランティア活動を日々行っている。自分のことだけを考えて生きているわけじゃない。そんな彼らの心の余裕、その大きさを痛感する。

「だからブレないし、なにがあっても動じないんだ」

さまざまな激戦を戦い抜いてきたチームメイトたちのメンタルの強さは、経験を積んだから生まれたわけじゃない。心を磨き、心に余裕があるから身につけられたんだ。

彼らのメンタル・コントロールを吸収したいと考えていた僕は、その秘密にたどりつく。大切なのは、心の余裕、大きな心なんだと。

自分の心と向き合い、心と会話し、感情をコントロールする。つまらないことでイライラしたり、カリカリしたりしない。

集中することや無我夢中にのめり込む気持ち、やってやるんだという強い思いも重要だ。でも、熱くなりすぎることで余裕がなくなり、周りが見えなくなる。

インテルへ来てからの僕は心に余裕がなかった。

それはサッカーだけでなく、生活面にも通じる。心に余裕を持って試合に挑むためには、そこに至る毎日でも余裕がなければいけない。そんな気持ちで練習に取り組み、迎えたのがキエーボ戦だった。

先発でピッチに立ったとき、今までになく心に余裕があった。当然プレーにもその余裕が影響を与えてくれる。見えなかった場所が見える。視野が格段に広がっている。ひとつひとつのプレーに自信がやどる。伸び伸びやれているという実感を得られた。2－1で勝利した試合で、僕は地元紙のマン・オブ・ザ・マッチに選んでもらえた。いい仕事が出来たという達成感よりも、壁を乗り越える鍵を見つけたという喜びがあった。

僕が直面していたのは、走力や1対1の強さ、フィジカルなど技術的な部分では乗り越えられない壁。サッカー選手として、人間として、成長するために乗り越えなくちゃいけない壁だった。それを打開するためには、心を磨く必要があるとわかった。

もちろん、過去にも北京五輪のときなど、心について考えた。でも、「心に余裕を持つ」という答えは、インテルに来たからこそ、手に入れたものだ。言葉にすると簡単だけど、心に余裕を持つのは、容易なことじゃない。人間として大きくなる必要があるし、メンタル面を鍛えなくちゃいけない。しかし、さまざまな人たちのいろんな心に触れられた僕は、今まで以上に深く自分の心と向き合うことが出来ている。そしてこれからも、あらゆる経験を積んで、心を鍛えていきたい。意識することなく、自然と感情をコントロールができるようになるのが、今の目標だ。

僕らが新しい道を作っていく

ドイツ・ゲルヘンキルヘンでのチャンピオンズリーグ準々決勝セカンドレグ、シャルケ戦。僕は先発メンバーとしてピッチの上で憧れのチャンピオンズリーグ・アンセムを聞いた。しかし、感動とか喜びという気持ちはなかった。

1週間前に行われたホームでのファーストレグは2－5という結果。セカンドレグでは4点差以上の勝利をおさめなければならない。不利な状況での難しい試合だったが、結果を残すことに集中していた。「諦めるものか」という強い闘争心が、不思議と僕を落ち着かせ、平常心で試合に向かえた。そして心には余裕がある。

得点を狙うインテルは攻め続けたが、シャルケの厳しいプレッシャーに攻撃が寸断される。中盤でボールがおさまらないため、僕の攻撃参加のチャンスがなかなか訪れない。時計の針が進むにつれて、インテルに焦りが生まれるのは当然だった。

そして、前半終了間際にシャルケのラウル・ゴンザレスが得点。後半、インテルは1点を返したが、追加点を許し、試合は終わった。

選手個々の能力ではインテルのほうが上だったかもしれないが、チームとしてのまとまりという点では、シャルケのほうが上だった。それが試合の勝敗を分けたのかもしれない。もっとボールをもらえれば、攻撃をしかける自信はあった。でも負けた悔しさはあるが、悔いはない。

そして、「心を磨くこと」の重要性を知った僕はどんなプレッシャーも力に変えることが出来るようになった。プレッシャーを楽しみながらプレー出来ている。

チャンピオンズリーグは確かに特別な大会だ。そう簡単に勝てる試合じゃない。もっともっと成長しなければならないという強い気持ちが芽生えた。また、セリエAもチャンピオンズリーグに劣らない高いレベルであることも再確認出来た。そういう環境で日々を過ごせていることに改めて幸せを感じた。インテルのシャツを着て戦う経験は、僕にたくさんのことを教えてくれるのだから。

チャンピオンズリーグ準々決勝という大きな舞台で日本人対決が実現した。試合を終えて強く抱いたのは、先輩たちへの感謝の思いだ。

ヨーロッパへ渡りプレーした日本人選手たちは、僕らが歩きやすいような道を作ってくれた。本当に感謝しなくちゃいけない。海外移籍をした選手だけじゃない。日の丸を背負い戦った歴代の日本代表、Jリーグの歴史を築いたJリーガーの先輩。彼らの背中を見ながら僕はたくさんのことを学び、成長出来た。そして同世代の選手が刺激を与えてくれたことも大きい。

もちろん、日本サッカー界を支えた関係者、指導者、サポーターへの感謝も尽きない。だからこそ、これからは僕らが新しい道を作っていかなくちゃいけない。

チャンピオンズリーグ敗退の悔しさは、いつしか、新たな決意へと変わった。

おわりに

この本を作り始めた2010年夏、半年後にインテルでプレーするとは思ってもみなかった。8カ月の間、本当にいろいろなことが起き、過去にない濃密な毎日が続いている。自分の力のなさを痛感することもあるし、楽しいことばかりじゃない。でも、だからこそ言い切れる。そして、だからこそ僕は確信している。

まだまだ成長出来ると。

「世界一のサイドバック」

この夢はいつ達成できるのか？　チームが世界一になれば達成出来るわけじゃないし、数字で決められることでもない。過去に満足感を抱いたことのない僕が、自分で「世界一になった」と思える日は果たしてくるのだろうか？　一生たどり着けないのかもしれない。でも、夢ってそういうものだと思う。

「これでいい」と感じることは、自分で限界を作ることだ。限界を決めるのは自分自身。僕は夢や成長には限界がないと思っている。だから、僕は絶対に信じている。

世界一のサイドバックになれると。

世界一のサイドバックになるためには、いろんな壁や困難を乗り越えなくてはいけないだろう。でもそうやってたどり着いたとき、想像も出来ないくらいに成長しているはずだ。サッカー選手としての技術も人間としての心もね。

そういう大きな自分になりたいんだ。

いったいなにが待ちうけているのか、どんなことを乗り越えなくちゃいけないのか、今はわからない。でも、未知だからこそ、挑戦する意味があるし、さまざまなことを発見し、学べるはずだ。チャレンジしたから、心の余裕の重要性に僕は気づけた。そんな風に壁を乗り越えることで、自分の引き出しを増やしていく、その過程が僕は楽しみなんだ。

人生は一度きり。だからこそ、チャレンジし、精一杯成長しなくちゃダメなんだ。生きていることや生かされていることを幸せだと感じ、一日一日を明るい気持ちで楽しく生きていきたい。みんなに笑顔を届けたい。

人は生かされているんだと感じ始めたことで、長友佑都という人間が生きる意味を考えるようになった。インテルという環境の中で生かされている僕は、人をサポートするべき立場にいるんだと気づいた。だからこそ、大きくなりたい。大きな人間になれば、やれることも広がるだろうし、たくさんの人を助けることが出来ると思うから。

僕は成長したいから、サッカーをやっている。
そう思い自分を磨くことにすべてを費やしてきた。そして、もっともっと大きな人間になりたいという思いが僕を駆り立てる。自分のストロングポイントを伸ばし、心を磨き続けなければならないと新たな決意が僕にはある。

今、自分が日本人であることを改めて誇りに感じている。サッカー選手としてだけでなく、ひとりの人間として、日本を代表しているんだという思いが強くなった。厳しい現実に直面しても、へこたれることなく立ち向かうタフな精神力。コツコツと小さな努力を積み重ねる粘り強さ。他人のために汗をかく献身的な姿勢。今よりも向上したいと学び、研究する勤勉さ。状況を察知し、的確な行動を選ぶ思慮深さ。そしてなによりも人をリスペクトする思いやりや優しさ、感謝の心。

日本人のストロングポイントを大切にし、僕は世界を舞台に戦っていく。諦めることなく戦い続けることで、イタリア、ヨーロッパ、世界の人たちに日本人の強さ、魂を伝えたい。そして、日本のみんなに勇気を届けられたら最高だ。


幼いときから見続けた働く母さんの背中は僕にとっての宝物だ。女手ひとつで、3人の子どもを大学へ進学させた母さんのチャレンジ精神や前向きさ、豊かなバイタリティのもとで育ったことを本当に嬉しく思う。

明治大学へ進学後、怪我が続いて、腐りそうになっていた僕をいつも姉の麻歩《まほ》が支えてくれた。弟の宏次郎《こうじろう》は僕のライバルだった。子どものころ「兄ちゃんよりも弟のほうに才能がある」と言われた。僕の負けず嫌いの性格はあのときに根づいたのかもしれない。

小学3年生のときから、離れて暮らしてきた父さんとは、福岡時代から親子の交流が始まった。幼いころは理解出来なかったけれど、今は思う。父さんがいたから僕は存在している。リスペクトの思いはほかの家族と変わらない。

言葉では表しきれない感謝の思いをこめて、僕は走り続ける。
でっかい自分になるために、その努力は惜しまない。

長友佑都

2011年4月末日

装丁　高柳雅人

カバー
撮影　HIJIKA
衣装　池田敬
ヘアメイク　TATSURO (relow)

本文
構成　寺野典子
写真　原悦生
協力　スポーツコンサルティングジャパン

注　本文中のカッコ内の言葉は編集部で書き加えました。

1986年　9月12日愛媛県東予市三芳町（現西条市三芳）に生まれる。

1992年　東予市立三芳小学校（現・西条市立三芳小学校）へ入学。サッカーを始める。

1995年　西条市立神拝小学校へ転校。

1999年　西条市立北中学校へ入学。サッカー部へ所属するも1年生の時は部活動よりもゲームセンターなどで遊ぶことが多かった。しかし、サッカー部の顧問である井上博教諭と出会い、サッカーへの情熱を取り戻す。

2001年　サッカー部の活動を終えたあと、駅伝を始める。

2002年　福岡県にある東福岡高校へ入学。1年の冬、高校選手権のサポートメンバーに選ばれる。

2004年　3年時、高校選手権出場。

2005年　明治大学政治経済学部へ入学。サッカー部に所属するも、椎間板ヘルニアに悩まされる。1年生の冬にミッドフィルダーからサイドバックへコンバートされる。

2006年　レギュラーとしてプレーし、日本大学選抜に選出される。

2007年　5月FC東京の特別指定選手に。6月6日U-22日本代表として北京五輪アジア二次予選のマレーシア戦に出場し得点。夏にはナビスコカップに出場する。秋、ユニバーシアード大会メンバーに選出されるも腰痛のために試合出場は1試合のみ。

2008年　明治大学に在学しながら、FC東京とプロ契約を結ぶ。開幕からスタメンに定着。5月24日のキリンカップコートジボワール戦にフル出場し、日本代表デビューを飾る。夏、北京五輪日本代表に選出され出場も3戦全敗。

2009年　定着した日本代表でW杯アジア予選突破に貢献。秋、FC東京がナビスコカップ優勝。

2010年　W杯南アフリカ大会出場。夏イタリア・チェゼーナへ移籍を果たす。リーグ開幕戦ではローマと引き分け、第2戦ではACミランを破る。

2011年　1月アジアカップ優勝に貢献。オーストラリアとの決勝戦では、決勝ゴールをアシスト。1月31日、移籍期限ギリギリのタイミングでインテルへ移籍。2月3日ベンチ入り。2月6日ローマ戦で途中出場。2月16日フィオレンティーナ戦で初先発し、3月6日のジェノア戦でセリエA初ゴール。3月15日欧州チャンピオンズリーグ決勝トーナメント1回戦セカンドレグ、対バイエルン・ミュンヘン戦で途中出場し、逆転勝利に貢献。4月13日欧州チャンピオンズリーグ準々決勝セカンドレグ、対シャルケ04戦で初先発。

長友佑都

プロフィール

ながとも・ゆうと／1986年9月12日愛媛県生まれ。
170cm ／ 67kg ／O型。母、姉、弟の4人家族。
現在はイタリア・ミラノ在。

ブログ　http://ameblo.jp/guapoblog/

日本男児

2011年5月25日　第一刷発行
2011年5月25日　第二刷

著　者　長友佑都
発行者　坂井宏先
編　集　佐藤正海
発行所　株式会社ポプラ社
〒160-8565　東京都新宿区大京町22-1
電　話　03-3357-2212（営業）
03-3357-2305（編集）
0120-666-553（お客様相談室）
ファックス　03-3359-2359（ご注文）
振　替　00140-3-149271
一般書編集局ホームページ　http://www.poplarbeech.com/
印刷・製本　共同印刷株式会社

N.D.C.914　247ページ　20cm
ISBN 978-4-591-12445-1
JASRAC出1105914-102